Le grand cerf-volant

Du même auteur

AUX NOUVELLES ÉDITIONS DE L'ARC, OTTAWA

Étraves
poèmes, 1959 (épuisé)

Contes sur la pointe des pieds
contes, 1961 (épuisé)

Balises
poèmes, 1964 (épuisé)

Avec les vieux mots
paroles de chansons, 1965 (épuisé)

Pour une soirée de chansons
monologues et chansons, 1965 (épuisé)

Quand les bateaux s'en vont
paroles de chansons, 1965 (épuisé)

Contes du coin de l'œil
contes, 1966 (épuisé)

Les Gens de mon pays
paroles de chansons, 1967 (épuisé)

Tam ti delam
paroles de chansons, 1967 (épuisé)

Ce que je dis c'est en passant
paroles de chansons, 1970 (épuisé)

Exergues
poèmes et chansons, 1971 (épuisé)

Les Neuf Couplets
paroles de chansons, 1973 (épuisé)

Je vous entends rêver
paroles de chansons, 1974 (épuisé)

Silences
poèmes (1957-1977), 1979

La Petite Heure
contes, 1979

Tenir paroles
(t. I, 1958-1967 ; t. II, 1968-1983)
chansons, 1983

Assonances
poèmes, 1984

EN COÉDITION AVEC LES ÉDITIONS INTERNATIONALES ALAIN STANKÉ

Natashquan
paroles de chansons, 1976
photos : Anna Birgit

A l'encre blanche
poèmes, 1977 (épuisé)
illustrations : Hugh John Barrett

Gilles Vigneault

Le grand cerf-volant

Poèmes, contes
et chansons

Préface de Claude Duneton

Nouvelles
Éditions de l'Arc

COLLECTION DIRIGÉE PAR NICOLE VIMARD
AVEC EDMOND BLANC ET CLAUDE DUNETON

En couverture et à l'intérieur :
illustrations de Gilles Vigneault.

ISBN 2-02-009389-8.

Préface

Un ami en hiver

« Ce que je dis c'est en passant »... La première fois que j'ai vu chanter Gilles Vigneault, je n'avais jamais entendu parler de lui. C'était à la Noël 1974, et j'étais assurément en retard sur bien du monde pour qui il était déjà une grande vedette — sans parler du Québec ! Des copains m'ont entraîné un soir au Théâtre de la Porte Saint-Martin, à Paris. Ils m'ont embarqué de force pour ainsi dire, car je suis d'un naturel casanier, en me serinant que c'était pour mon bien. Ils m'avaient même offert la place ; la sortie prenait des allures de tour de manège gratuit... J'ai été servi !

Ce type qui chantait des histoires avec un accent à réveiller mes morts m'a saisi au corps. Au bout d'un quart d'heure j'étais quasi pantelant sur mon fauteuil rouge, bouche bée à toutes les chansons — ça en était mystérieux une pareille ambiance qui tombait sur la salle... Ce grand bonhomme sautillant chantait comme s'il avait égaré quelque chose d'important, que sa voix cherchait à faire revenir. Et tout le monde, là autour, avait perdu quelque chose aussi, c'était certain. Les gens avaient perdu leur accent, pour la plupart, ou leur grand-père, ou leur village, ou leur virginité. On n'arrête pas de perdre des trucs, la vie durant, c'est fatal... Lui, il avait perdu le Nord, on comprenait — le Grand Nord, le sien. Celui de la côte du Saint-Laurent, là-bas, passé Terre-Neuve. Le nord de Natashquan... Il parlait de la neige comme si ça avait été sa mère. « Mon pays ce n'est pas un pays, c'est l'hiver. » On frissonnait dans le théâtre, pourtant bien chaud, à regarder Vigneault danser sur des glaciers, à « poursuivre ces terres que l'horizon transporte ».

Vigneault disait gaiement combien il est difficile d'aimer, difficile ! Il chantait la légende de Jack Monoloy, l'Indien qui aimait une Blanche. « Tous les bouleaux de la rivière Mingan, tous les bouleaux s'en rappellent »... Il contait l'histoire de Gros-Pierre qui attendait la belle Laurelou, sa fiancée, partie en ville pour y faire putain, lucrativement. C'était un moment où la France entière, justement, se rendait compte qu'elle avait quitté ses champs, elle aussi, qu'elle s'était rendue en ville, d'une façon ou d'une autre, pour y tapiner son pain. Elle avait laissé des Gros-Pierre partout, désenchantés de langues moribondes qui se trouvaient Gros-Jean, bien sûr, à dorloter leur attente au bord des vieux chemins. La France se sentait un peu pute, à cette époque, un poil Laurelou... Elle se retournait vers ses champs d'un œil glauque, comme un poisson qui a perdu sa rivière. « J'ai planté un chêne — hurlait Vigneault ! — Au bout de mon champ. » Les gens se disaient qu'ils se planteraient bien un petit quelque chose eux aussi, par-ci par-là, au bout du compte. Perderai-je-t-ils leur peine ?... Ils allaient voir les champs.

Seulement il se faisait déjà bien tard dans le siècle. Les champs étaient fort dévastés, dégosillés de leurs cultures sensibles jadis si parlantes. C'était le silence qui accueillait les gens au détour des haies. Ils n'ont pas planté : ils arrivaient juste à temps pour les funérailles de leurs langues mères : le chant du cygne des vieilles parlures qui s'étaient lassées d'attendre.

C'étaient toutes ces choses pressenties, à la croisée des civilisations, qui passaient Porte Saint-Martin, ce Noël-là, chez les spectateurs dont j'étais. L'émotion naissait de cet homme au « pied musicien » dont les mots étincelaient d'espoir sur fond de neige, « entre le feu et l'enclume du langage françois ».

Aujourd'hui nous donnons à lire Gilles Vigneault écrivain, conteur et poète. Sa langue écrite demeure une vaste parlure hantée d'images à entendre.

CLAUDE DUNETON

POÈMES

Silences

Itinéraire

Quand j'ai chaussé les bottes
Qui devaient m'amener à la ville
J'ai mis dans ma poche
Une vieille maison
Où j'avais fait entrer
Une jeune fille
Il y avait déjà ma mère dans la cuisine
En train de servir le saumon
Quatre pieds carrés de soleil
Sur le plancher lavé
Mon père était à travailler
Ma sœur à cueillir des framboises
Et le voisin d'en face et celui d'en arrière
Qui parlaient de beau temps
Sur la clôture à quatre lisses
Et de l'air propre autour de tout cela

Aussitôt arrivé en ville
J'ai sorti ma maison de ma poche
Et c'était un harmonica

Quand le pirate espagnol est venu lesté d'or dérobé au sabre d'abordage,

Il n'y avait personne pour lui dire l'eau la plus profonde et par quel clapotis distinguer les hauts-fonds ;

Et cependant il est entré dans la baie ouverte à toutes coques, et son brick est venu mouiller dans la gueule de la rivière, d'une ancre fière et lourde :

Comme dans un sillage coutumier les vieilles étraves ajustent leurs voyages...

Il n'a pas trouvé de chemins qui auraient décidé à sa place de l'endroit pour enterrer ses morts et ses fortunes.

Il a tracé lui-même avec son pas déhanché de Prince des Sept Mers les premières lignes de vie de ce lieu que j'appelle aujourd'hui mon village et où je suis né à défaut d'y être venu rejeté par une mer en furie sur un sable plus doux que les plus doux...

Je t'ai vu Prince des Hautes Galères enterrer tes rêves de forban grandiose.

Je t'ai vu mettre dans le même coffre sanglé de fer, clouté, rouillé, tes départs et tes retours et rejeter la terre à la main comme on fait pour les hommes à la dernière escale.

Tu t'en es retourné sur la brise de quatre heures avec une cargaison de projets de retour quand même... Et tu savais que c'était pour toujours.

Je t'ai vu épauler la lame du large et trouver ta course de plein vent à trois lieues des battures...

Toi l'ancêtre par excellence, Père des contrebandes, tu ne sais pas peut-être que, pendant des années de matins transis, j'ai attendu que paraissent tes voiles dans une embellie du soleil et le cuivre de ton étrave dans l'écumante gloire des clapotis de l'est et que j'en suis resté salé jusqu'à la moelle. Et si jamais mon crâne lesté d'ombres aborde aux sables qui t'appartiennent encore, le voyageur saura que c'est un coquillage et le portant à son oreille y entendra la mer.

Dans les sirènes…

Dans les sirènes d'usine
Dans les klaxons de cinq heures
Dans le crissement des pneus
Dans le fracas continu de la ville
    J'entends la mer

Dans les profondeurs du sommeil
Dans les secrets voyages de la nuit
Dans le noir blessé des néons
    Je vois la mer

Et près des réverbères perdus
Je me suis appuyé les soirs de pluie
A la rambarde des trottoirs
    Sans parapluie.

Belles saisons...

Belles saisons des mauvais temps
Pâles matins des neiges tristes
Brûlants clairs de lune d'hiver
Par les cent trous de mon manteau
Et par les trous de mes semelles
Entrez chez moi je vous en prie
Depuis tous les étés du monde
J'attends de voir vos mauvais temps
Vos verglas et vos poudreries
Et vos éternités de neige
Vos soirs balafrés de rafales
Et le feu blanc des soleils rares
Pavant des routes de lumière
Beaux jours des mauvaises saisons
J'ai quelque part au fond de moi
Le doux regret d'une maison
Dont encor je n'ai jamais vu
L'astre carré d'une fenêtre
A l'horizon d'un jour de marche
Une table où je n'ai pas bu
Le thé chaud et les yeux timides
De cette jeune femme tiède
Ouvrant la porte au voyageur

Jeunes filles ! Allumez la lampe

Ce soir même un homme se tue
A battre les chemins perdus
Avec de la neige à mi-jambe
Le ciel et la nuit sur le dos
Il a fait le tour de la terre
Et ne se tient pas pour battu

La Fille Rouge

Elle arriva de vent
Et repartit de pluie

La Fille Rouge

Aux portes de la ville
Elle laissa tomber
Son manteau de sang vif

La Fille Rouge

J'ai vu passer dans l'air
Son casque de cristal
Dont la huppe de feu
Déchirait les nuages
Elle était haute et nue

La Fille Rouge

Le pas de son coursier
Sonne encore sur les toits
Frappe encor dans ma tête
Et claque son sabot
Comme tonnerre

Elle arriva de vent
Et repartit de pluie

La Fille Rouge

Parfois à propos d'elle
On se dit en secret
Que dira le soleil

Quand il verra ses yeux
Si dans les jours heureux

La Fille Rouge

Allait mettre un doigt lourd
Sur l'amour
Sur la vie
Mais elle

La Fille Rouge

Suit un destin étrange
Et quelqu'un de très seul
L'aurait vue disparaître
Aux remous de mémoire
Dans la plus Haute chambre
De la plus Haute tour

Et dans la mélodie
Lumineuse des Noces

La Fille Rouge

Est devenue plus douce
Et plus blanche
Que la laine des nuages
Aux midis trépassés
Des étés chargés d'ombres
Et de fruits

Le toast du roi

L'univers se porte à merveille
Vivent les dieux et leurs travaux
L'Espace et le Temps sont rompus
A leur gigantesque besogne
Et les vivants d'ailleurs
Et les vivants d'ici
Et la bête à bon Dieu
Et l'homme et la fourmi
Ont leur bouchée de jour
Et leur gorgée de nuit
Et leur poignée de terre
Et leur carré de ciel
L'horaire est officiel
L'ordre fort respecté
Et le hasard a bien du mal
Dans cette Mécanique inusable
Tout tourne rond depuis l'atome
Jusqu'à la grande nébuleuse
C'est tout de même quelque chose
On aurait vraiment mauvaise grâce
A se prétendre malheureux
Heureusement
Il n'y a que l'homme à se plaindre
Mais nous verrons cela plus tard

Allons ! Où sont les musiciens ?

Le départ

Une femme seule au monde
S'en est allée de la ville
Mais n'a pas eu de départ
Une femme seule au monde
Ne s'en va de nulle part

A moins que cet inconnu
Qui l'a suivie à la gare
Et l'a regardée partir
Ne se dise en revenant
C'est dommage : elle était belle !

Alors la voilà qui part
Sans savoir que derrière elle
Quelqu'un fait de son départ
Quelque chose, quelque part...

Dites-lui

Quelqu'un était ici.
Quelqu'un s'en est allé
Pour chercher un pays
Dont nul n'avait parlé.

En buvant de la bière,
Il s'en est souvenu,
Puis il a disparu
Par le chemin de pierre.

S'il passe à votre porte
Dites-lui que naguère
J'ai perdu de la sorte

Une île et deux rivières
A poursuivre ces terres
Que l'horizon transporte.

Odorante

Odorante jeune fille
Au bord du Lac éternel
Tenez-vous vraiment le fil
Des vents et des arcs-en-ciel ?

Je connais votre souci
Par la forme des nuages
Qui passent tout près d'ici
En s'accrochant aux feuillages...

Mais longtemps je vous ai prise
Pour ce vieil arbre tout blanc
Qui a toujours fait semblant
De ne pas sentir la brise

Près de ce lac endormi
Qui ne tremblait qu'à demi
Sous les cailloux de ce temps...

O jeune fille odorante
Dont l'an mil neuf cent quarante
Fêtait les six cents printemps !

Chanson

J'ai fait mon ciel d'un nuage
Et ma forêt d'un roseau.
J'ai fait mon plus long voyage
Sur une herbe d'un ruisseau.

D'un peu de ciment : la ville
D'une flaque d'eau : la mer.
D'un caillou, j'ai fait mon île
D'un glaçon, j'ai fait l'hiver.

Et chacun de vos silences
Est un adieu sans retour,
Un moment d'indifférence
Toute une peine d'amour.

C'est ainsi que lorsque j'ose
Offrir à votre beauté
Une rose, en cette rose
Sont tous les jardins d'été.

Chanson vieillotte

Mourir si délicatement
Qu'on ne sente aucun mouvement
Passer de la vie à trépas
Sans qu'on entende un bruit de pas

Mourir si délicatement
Qu'il n'y ait point d'enterrement
D'absoute ni de libera
Ni fleurs ni pleurs ni embarras

Mourir si délicatement
Qu'on en oublie le testament
Mourir si loin du cimetière
Qu'on en oublie jusqu'aux prières

Mourir au bord d'une fenêtre
Si poliment que le vent même
Ne s'en aperçoive qu'à peine

Mourir pendant qu'un air de flûte
Dessine au loin son arabesque
Ne pas mourir... mais mourir presque

Cela se dit mourir ma belle
Cela se dit mourir d'amour

Avec nos yeux...

Avec nos yeux, avec nos mains
Dont nous aurons été humains
Nous nous serons à peine vus
Nous serons-nous touchés ? A peine.
Nous aurons mis tout notre enjeu
A ne pas être malheureux.
La roue ne cesse de tourner
Emportant gestes et regards
Dans un tourbillon d'infortune
Sans nous offrir un lendemain.
Fermés nos yeux, fermées nos mains,
Qui retrouvera les chemins
Par lesquels nous voulions surprendre
Le mot de passe de l'amour ?
Nous aurons vécu sur la terre
Sans rien tenter d'un jour à l'autre
Pour apprivoiser le mystère ;
Nous serons passés au soleil
Sans jamais remarquer notre ombre.
Et, les yeux secs et les mains blanches,
Nous sortirons de ce sommeil
Sans l'avoir comparé à l'Autre.

Théâtres

Quand je suis entré dans la pièce,
Quand est venu mon tour
D'entrer en scène,
Il n'y avait pour tout décor
Que deux chaises inoccupées.
Je suis retourné dans la coulisse,
J'ai demandé l'accessoiriste.
L'accessoiriste ? Il est parti.
Parti avec la directrice.
La directrice ou l'ingénue.

La pièce fut interrompue.

On ne la jouera jamais plus
A moins que quelqu'un ne retrouve
L'accessoiriste et l'ingénue.
Le théâtre est toujours fermé
Et les deux chaises sont restées
En scène,
Inoccupées.

Moi je cherche de par le monde
Le reste du décor.
Il y avait une guitare,
Un navire sur la cheminée,
Un bougeoir sur une console,
Un miroir profondément bleu,
Un bois de mer en bibelot
Et ces coquillages
Que le capitaine (le grand rôle)
Avait envoyés à sa nièce
Vous vous souvenez... ?
Ah ! Non. C'est vrai. J'oubliais.

Vous n'avez pas lu la pièce.
Oh ! Vous savez, j'ai retrouvé,
Les accessoires. Mais l'ingénue,
Elle, n'est jamais revenue...
Comment dites-vous ? L'accessoiriste ?
Il est placier au cinéma.

L'arbre qui bouge

L'arbre qui bouge et fait
semblant que c'est le vent.

L'homme qui parle et fait
semblant que c'est lui-même.

Regret

J'ai brisé mon cœur comme un coquillage
Et j'y ai trouvé ne me croirez pas
Au milieu du vert tendre des feuillages
Sans nulle trace de vos pas
Dans un ruisseau votre visage

Pour me souvenir j'ai bu goutte à goutte
Le ruisseau-mémoire et son eau-chagrin
Mais quand j'ai voulu poursuivre ma route
Et refermer mon cœur écrin
Je le refermai sur le Doute

Est-ce de l'ennui est-ce de la peine
Je sens que parfois vous mourrez au loin
De par le chagrin d'une amour humaine
Et je sens bien que ce n'est point
Une amour dont je me souvienne

Équilibre

C'est le danseur
Qui se tient
Debout
Par un pied piqué sur le monde

C'est le poète
Qui dit
Voici que je tiens le monde
Par le bout de mon orteil

Voilà comme depuis peu
Je fais le saut périlleux
Du trapéziste mélancolique
A parler de ma pesanteur

Le poète

Je prendrai dans ma main gauche
Une poignée de mer
Et dans ma main droite
Une poignée de terre
Puis je joindrai mes deux mains
Comme pour une prière
Et de cette poignée de boue
Je lancerai dans le ciel
Une planète nouvelle
Vêtue de quatre saisons
Et pourvue de gravité
Pour retenir la maison
Que j'y rêve d'habiter.
Une ville. Un réverbère.
Un lac. Un poisson rouge.
Un arbre et à peine
Un oiseau.
Car une telle planète
Ne tournera que le temps
De donner à l'Univers
La pesanteur d'un instant.

Neige

Au détour du Temps qui passe
J'ai trouvé le sablier
Il avait dû l'oublier
Sur les chemins de l'Espace

Sous le soleil consterné
J'en ai retiré le sable
Et le rouet inlassable
S'est arrêté de tourner

Soyez mon Espace, chère
Et je serai votre Temps
Et pourtant qu'à notre instant
Ne soit pas une étrangère

La neige à qui je ferai
Mesurer nos existences
Et qui déjà dans mes stances
Parle de remémorer

Personnages

Chaque matin
Un enfant fier
Sort de chez moi
Pour ne plus revenir

Et tous les soirs
Un grand vieillard
Rentre chez moi
Pour y mourir

Cela paraît en ordre
Cela semble réglé
Et pourtant tout est mal
Et la vie se gaspille

J'estimerai
Que midi sonne à midi
Quand le vieillard
Ayant sauté la nuit
Tôt le matin
Prendra l'enfant
Par la main
Pour partir avec lui

Ou : minuit à minuit
Si un soir
Liberté ou hasard
L'enfant rentre chez moi
Avec le vieillard

Origines

A celui qui me dit :
Je suis de tel pays...
Je réponds : De quel arbre ?
Et de quelle fontaine ?
Près de quelle colline,
Au bout de quel chemin ?
Êtes-vous de la Terre
Sous son nom de planète ?
Êtes-vous de la Mer
Sous son nom de terrain ?

Et s'il me tend la main,
Je la prends dans la mienne
Et j'apprends par la paume
Et la gerce des doigts
Et le cal et la corne
Ou par tout le contraire
Le nom de sa patrie
Et le nom de son père.

Et s'il me dit un nom
C'est celui d'un coteau
C'est celui d'une fille
Et celui d'un bateau
C'est celui d'une ville
Et celui d'un château.

Et s'il regarde loin
Dans l'éternel ennui
Des horizons, j'y vois
Les octobres de blés
Et les voiles du large

Qui reviennent chargées :
Greniers et cargaisons…

Et parfois c'est l'ennui
Simple… de sa maison.

Ici, je parle enfin
A mon tour, en mon nom,
Au nom de mon pays,
Au nom de ma saison.
Je lui dis ma patrie
Et que c'est la rafale…
Verglas et poudrerie
Et bourrasque et froidure
Et blancheur et beauté.
C'est un grand banc de neige
A trois coteaux d'ici
Dans le Boisé de l'est
Et que parfois l'été
Y pose un papillon.

Et voici que la glace
Nous cède sous les pieds…
Nous sommes emportés
Nous sommes de la Terre
Sous son nom de soulier.

L'œuvre

La misère en habit de deuil
De la meilleure coupe
De la plus belle soie
Vient de passer la main tendue
Elle mendiait pour le compte
De la Charité
Trop timide
Ou plutôt reprenons :

La charité en habit de deuil
De la plus belle soie
De la meilleure coupe
Vient de passer la main tendue
Elle demandait qu'on entretienne
La Misère.

Les poètes

Mon voisin est marié
Il a quatorze enfants
Il fait depuis quinze ans
Des poèmes d'acier
Et de béton armé
Sans jamais réclamer
Son nom dans le journal
Et sans qu'on l'applaudisse
Sans qu'on sache de lui
S'il a bonheur ou mal
Il soude, rive et visse
Du meilleur de son mieux
Il parle de justice
Et jamais de pitié
Il a de l'amitié
Pour tous ceux qui bâtissent.

La lame

Il n'y a pas longtemps
A Celui qui disait
Le poète est là pour changer le monde
Je répondais que la poésie
Est une lame
A couper le pain des jours de l'homme
Et qu'il n'en faut point faire une épée

Et je trouvais que mon image n'était pas mauvaise

J'avais tort. Énormément tort.
Et je le dirai si fort
Que pour trancher le pain des jours qui viennent
Je forgerai lame nouvelle
Plus coupante que belle
Plus vive que sonore
De quelque criarde chanson
Qui couchera dans l'oreille populaire

Jean-Jean

Jean-Jean m'a pris à part
Juste avant mon départ
Et m'a posément fortement expliqué :

Ici les gens sont bien curieux
Ils aimeraient presque autant
Ils aimeraient quasiment presqu'autant
Ne pas faire parler d'eux
Si c'est bien dit ça va trop loin
Si c'est écrit connu vendu
Ils savent pas toujours comment
C'est pour ça qu'ils aiment
Quasiment...
Autant pas...
Ça ne me regarde pas

Et il a fait trois pas
Et Jean-Jean prétendait me parler de son frère
Sur qui j'avais fait une chanson

Tout bas il me parlait
Sans rien me reprocher
Mais sans se rapprocher
Et puis il s'en allait
Comme pour respirer
Une bonne fois toute une fois encore
L'air qui serait peut-être moins salé demain
Parce que j'avais l'air d'en prendre dans mes mains

Mes mots sont des outres de vent
Ce ne sont point des cornemuses
Viennent de loin s'en vont devant
Je plains celui qui s'en amuse

Mon ami Léo

J'ai regret mon ami Léo
J'ai grand et grand regret
Quand je vois sur ma page
Le peu que j'ai dit de toi
Devant toi devant tes travaux
J'ai honte de mes demi-rêves
Devant ta semaine devant ta journée
J'ai honte et remords de mon année
Je veux dire au moins de la vie
Que c'est toi qui t'en sers
Comme un terrain qu'on a
Et sur lequel n'importe qui
Ne peut s'aller bâtir maison
Planter jardin fermer pagée
Je veux dire ta façon
De tuer un loup-marin
Pour la peau
Et la chair pour les chiens
Et jamais pour le sport
Et jamais pour rien
Ta manière de bûcher
Qui est de ne rien perdre
Et de ne jamais porter la hache
Sur un sapin qui commence
Et d'attaquer les rois
Les durs les vieux les mûrs
Un autre jour je parlerai de ta chaloupe
Il y aura mauvaise mer
Et tu viendras à mes grèves
A mon vent à ma guise à mon gré

De ta chaloupe
Un autre soir
Je parlerai

L'herbe d'or

As-tu vu l'herbe d'or de l'hiver ?
Le long des routes longues
Le long des routes blanches
L'automne avait été beau
Le foin haut la moisson forte
Mais les meilleurs faucheurs
Laissent toujours un peu
Aux champs de ce qu'ils coupent
Ils oublient un épi, trois brindilles
Plus loin toute une gerbe
Pour donner à penser à la neige

L'herbe d'or de l'hiver
Il faut le dire est inutile

Cependant qu'elle est belle
Le long des routes longues
Au ciel attendri de quatre heures
Le long des routes blanches
Tu sais... vers la fin du soleil

L'herbe d'or de l'hiver
On peut le dire est inutile

Cependant qu'elle est douce
A l'œil et dure au gel
A fleur de neige aux quatre vents
Le long du pays qui voyage
Par de longues routes blanches

As-tu vu l'herbe d'or de l'hiver ?

Je sais que je mens

Je sais que je mens dès les premiers mots
Je sais que les mots trahis par eux-mêmes
Feront semblant d'être d'accord
Et formeront une espèce de phrase
Où l'on pense toujours trouver
La mémoire essentielle
Je sais tout cela et j'écris
J'écris que j'aime autour de moi
J'écris que les fleurs passeront
Je dis de l'hirondelle et je dis du renard
Je dis avec beaucoup de naturel
De l'eau du large et de celle plus sobre des lacs
Et de quelqu'un d'ici et de ceux-là de loin
Mais j'ai peur de te dire
Peur qu'à te raconter
Tu t'effaces de moi
Et j'ai le goût de dire
A ce qui ne lit pas
Dans un autre langage
Plus subtil et plus moi
Ce que je sais de toi
Et surtout, Oh surtout
Ce que je ne sais pas
T'inventer devant une pomme
T'inventer goélette à la voile
Et te nommer frégate
T'inventer tigre à peau de feu
Et te nommer panthère
T'inventer fenêtre ronde sur la nuit
Et te nommer maison chaude
Te dire à la planète et te garder en moi
Plus libre et plus secrète
Que la palourde en batture

Mais je crains que les mots
Qui vont mentant comme les vendeurs
Portent une image, un rêve, une peine infidèle
A celui qui commence à me lire
Et je n'ai pas fini
D'avoir le temps de dire
Que je t'ai inventée
Pour son juste sourire
Et pour un long sommeil
Loin de toi loin de moi
Et loin de lui peut-être
A qui n'a pas été donné
Le pouvoir d'inventer
De voir marcher et vivre
Par un mot mal sonné la courbe d'une épaule

Les yeux qui restent
Après la fuite du visage
Et tout ce que j'ai dit
De toi qui ne m'es rien
Mais qui deviens si belle
A la lumière de la fatigue faite
Aux feux de l'amitié
Qui n'as qu'une parole
Et qui dis un beau soir
A qui reste : De loin je t'écris déjà...

Es-tu déjà partie as-tu déjà repris
Les quelques brins de toi qui me restent
Dans les mains coupables de gestes
Ai-je dit ton nom dans ce cri ?

Mentir ainsi

A celui qui prendra ma place
Dans quarante ans, cinquante au plus
Je souhaite de la grimace
Et de ne pas trop avoir lu

Et chaque fois que je le croise
Il m'évalue à son insu
Me chiffre, me jauge et me toise
Moitié content, moitié déçu

Je lui souhaite de l'oreille
Les arbres sont silencieux
La brise et la mer sont pareilles
Et tout le reste à qui mieux mieux

Et j'ose à peine te le dire
Je te souhaite aussi d'aimer
J'attendais aussi ton sourire
Qui guette à quoi je vais rimer

Je vais rimer avec la rime
L'âme le corps et les couleurs
Et pour exagérer ce crime
Probablement parler des fleurs

A couper toutes les ficelles
J'immobilise mon pantin
Déjà ma danse n'est plus celle
Que me proposait le matin

Ci-gît déjà la marionnette
Avant d'avoir bougé les mains
Mentir ainsi était honnête
Et devrait l'être aussi... demain.

A l'homme d'ici

O triste juge de toi-même
Accuse-toi de tromperie
Tu m'as trompé
Au moyen de mon propre espoir
Tu as le droit de l'apprendre
Tu trompes tout le monde
Tu te trompes toi-même
Tu trompes tes frères
Tu trompes ta mère
Tu trompes tes pères
Tu as rêvé de tromper le roc
                                        l'eau et le feu
                                        la neige et l'air
                                        le sable
Mais tu ne tromperas point le sablier
L'heure du jugement de ton jugement approche
Tu as le droit de le savoir
Tu as le droit de te reprendre
Mais c'est bientôt l'heure de comparaître
Je te préviens
Je suis de ceux qui t'avertissent
Et je ne suis pas seul à signer mon écrit
Que tu ne puisses venir nous dire
Si j'eusse été prévenu

Les papiers

Hier mon frère a reçu ses papiers militaires
Qui lui proposent d'être volontaire
Pour aller tuer des gens
De l'autre côté de la terre.
Je ne veux pas faire le trouble-fête
Je ne veux pas faire la mauvaise tête
Mais toutes les fois que l'on reçoit des lettres
Et qu'elles parlent d'amour
Je crois qu'il faut prendre son meilleur papier
Sa meilleure encre, la meilleure plume
Et répondre en disant quelque chose
J'ai fait pour vous hier une chanson
Mon frère apprend le piano
ou
Dans le pauvre jardin de mes mots maladroits,
J'aimerais que votre œil
Cueille une fois, des roses.

Neige

La neige sur le petit bois
Raconte une peine de moi
Qui me dira quelle est ma peine
Je ne fus méchant qu'autrefois
Je ne suis plus que maladroit
Je voudrais bien que l'on m'apprenne
Pourquoi ma peine sur les toits
A l'air des neiges d'autrefois

Les mots

Dans le petit après-midi trop doux d'avant l'hiver
J'ai bâti la maison de ma mélancolie
Sur quatre pilotis faits de cailloux du temps
Le plancher mouvant de mes algues
La mer passée
Le navire sur la cheminée
Qui vient d'apparaître en ses ruines
Un mur en tapisserie... douceur de la maison
Un mur en voyagerie. Lenteur de la saison.
Un mur qui parle en mots défaits sans phrases
Le mot tendresse en deux morceaux
Arme tombée de larme ou d'alarme on ne sait
Ame sortie toute nue de rame, lame ou drame
Un mur qui ne dit rien
Un mur tout attentif et composé d'oreilles
Un mur ruche d'abeilles
Un mur rose à merveille
Un mur qui s'appareille
Un mur qui nous surveille
Dis un peu le mot FENÊTRE
Pour voir.
La porte, on attendra
Qu'un ami nous l'apporte.
Lis attentivement. Le lit est fait.
Dis-moi. Quel est le mois ?
Sur le calendrier accroché sur le mur à coucher
Le mois de février...
On est le douze... Il est midi.
Qui me l'a dit ? C'est la pendule et le coucou
Qui sort à s'en rompre le cou. J'entends un bruit
Tout près de nous. Quelqu'un qui coud.
Le plafond est encore incertain
Une étoile descend file jusqu'à sa toile

Et remonte à son aise en dévorant son fil
Une feuille de chêne oubliée par le vent
Dessine un escalier
Et descend jusqu'à nous
Un arbre nu passe la main
Quête à la lampe
Une petite souris
Jette un œil
Sur la jarre à biscuits
Qui tombe en miettes.
La table n'était pas arrivée.
Tout a tremblé
Mais les murs ont tenu.
Dormons.
Demain, la table, les chaises.
Il y a du pain sur la planche
Et dans l'armoire
Noire de la nuit…
Rêvons le vin, ma mie
Rêvons la vie…
Rêvons le vin ma mie
Rêvons la vie… au loin.

Où

Où sont donc les couleurs
Que mon œil connaissait
L'herbe était verte
Le ciel gris
Un oiseau noir passait
Rasant la terre
Ce n'est pas une hirondelle
La pluie les parapluies
Ce n'est pas le merle
Qui siffle à tout propos
Ce n'est pas un étourneau
Pilleur et vite envolé
Un oiseau noir passait
Où donc est la chanson
Que je voyais venir
Grise comme patience
Lente comme le temps
Monotone et riante
Silencieuse et belle
Une chanson d'amour
De tendresse peut-être
Douce aussi
Où sont donc mes projets
D'où vient qu'un nom m'échappe
Et que je me taise
Soudain
D'où vient que je ne trouve plus
Le nom de cet oiseau
Le chant de ma chanson
Les mots d'amour
S'enfuient comme des étourneaux
L'herbe est pâle
L'été vient

Le ciel est traversé d'orages
Les couleurs elles-mêmes
Où sont les couleurs...
Les mots du langage...
Où êtes-vous...

La boîte à colorier

Je dessine une maison
Aussi jaune que le jaune
Sur une page d'herbe
Aussi verte que le vert
Je change d'œil et de plume
Une fenêtre s'allume
C'est le soir dehors aussi
L'herbe s'est un peu noircie
Changé de main et de craie
Je suis derrière la haie
Tu viens d'entrouvrir la porte
Qui dessine de la sorte ?
Mais personne ne répond
Tu trouves que l'air est bon
Tu fais trois pas et tu frôles
La haie avec ton épaule
Je me meurs au bord des mots
Qui feraient tout disparaître
L'herbe l'air et la fenêtre
Et ce silence trop beau
Mais parmi les yeux du ciel
Ceux de l'herbe et de la haie
Tu viens de trouver mes yeux
La maison déjà vacille
Dans son petit matin jaune
Et le soleil éparpille
Dans son or l'herbe et la craie
C'est la lampe qui me pille
Les beaux mots que je mettrais
A parler de mille choses
Tout en gardant le secret
Du ciel vert et de l'herbe rose
Et de trois pas dans le soir
Que je pose sans rien voir
Au bord des mots et des choses

L'arbre

Je suis comme un arbre en voyage
Je m'en vais racines en l'air
Mais de voir le monde à l'envers
Me coûte fleur, fruit et feuillage

Je cherche un pays de mon âge
Un bout de terrain pour l'hiver
Car ne veux être à découvert
Quand le froid prendra mes nuages

Les oiseaux que j'avais en tête
Se sont enfuis de moi en quête
D'un lieu moins fol et moins mouvant

Trouverais-je si je m'arrête
Autre voix que celle du vent
Pour me remémorer leurs fêtes ?

Aux morts doux morts

O morts ! Doux morts !
Qui êtes non loin de nous-mêmes
Nous ne sommes point longtemps
Au cimetière
Nous vous tournons le dos bien vite
Pour retourner à nos travaux
Qui ne sont que la suite aux vôtres
Qui s'en aperçoit pour le dire ?
Et la pêche n'est pas finie
Et le temps de la chasse arrive
Et l'oubli neige sur le quai
Sur les plaines sur la dune sur la baie
Le temps de nous apprendre à vivre
Vous fut volé.

O morts ! Doux morts !
Patients et pardonnants
Le plain-chant de vos vies muettes
Attend dans les maisons silencieuses
Comme au bronze de cloches sans clochers
Dorment des carillons
Que du moins ma pensée de vous
Soit chaude à vos âmes éparses
Au hasard du Grand Sablier
Par vos pas cassés sur la grève
Entre Galet et Grand-Goulet
Entre le Petit-Havre et l'Anse-aux-Madriers...

Ile de pierre

Ile de pierre
Amarrée à la côte
Par une batture
Hérissée de blé sauvage
Le « Galet »
Comme on dit à Natashquan
Détient, recèle ainsi que trésors
Mordorés de passé,
Les joies et les travaux
Les peines et les amours
Des gens de ce village.

Toutes ces vies vécues
Tous ces courages
Toutes ces patiences de femmes
Sont arrimés
Comme le poisson
Du temps que la pêche était la pêche,
Dans ces treize hangars appelés
« Magasins du Galet »
Les pilotis, les cailloux qui les tiennent
Ont appris,
De glaces d'avril
En paquets de mer de marée d'automne
Pourquoi les magasins ont l'air
De s'accrocher l'un à l'autre.
Pour ne pas tomber à l'eau
Pour ne point partir en dérive.

Au large : la saline
Plus au large : les cayes
Plus loin, dans le large : les hauts-fonds
Disent, de marée en marée,
A la mer, à quels murs

Aller briser sa lame.
L'hiver
Seul le soleil de cinq heures y loge
Avec la neige fureteuse et le vent aigre.

L'été
Le Galet se réveille
Comme si tout allait recommencer
Et l'on croit voir
Dans le petit matin
Les magasins, ouvrir d'eux-mêmes
Leurs portes
Sortir les boyarts
Relancer les canots
Remplir les bailles
Avindre les filets
Étayer les étals

Mais les « barges » ne viennent plus
Chargées comme autrefois,
Deux carreaux hors de l'eau,
Sur la grande voile...
Trois canots
Dont le bois a l'âge de parler
Avec le bois des magasins
Tanguent sur leur mémoire
Deux filets étendus sèchent à l'année longue
Un baril
Rompu aux mauvais temps
Garde un fond de la dernière pluie
Par habitude.
Et je voyage.
Je dois le dire.
Même de loin :
Par tendresse pour la pierre
Politesse pour le bois gris
Par respect pour les ancres
Je retourne au Galet tous les jours

Le trois-mâts

Du trois-mâts qui fit naufrage
A trois milles du village
A cent dix-sept ans d'ici
Et perdait sa cargaison
Toute prête à la dérive
Moitié sapin moitié pin
Qui, du mousse au capitaine
Aurait pu voir ou savoir
Qu'ils menaient en nos parages
Le bois de cette maison
Toute venue à la nage
Du fin fond de l'horizon ?
Elle a souvent des allures
Il faut dire, de bateau
A l'ancre. Aussi des bruits d'eau
Des sifflements de voilures
Des grincements de guindeau
De secs claquements de drisse
Des battements de haubans
Pour peu que passe le vent
Pour peu que le temps se plisse
C'est un grain à traverser
C'est une bordée à prendre...
Cette sorte de maison
A ses phares ses bouées
Connaît les voix de la mer
La position des étoiles
Les changements des marées
Et met le cap sur demain
Comme un port d'où repartir
Vers des siècles de patience
Et l'océane mémoire.
Cette sorte de maison

Appareille pour l'hiver
Cette sorte de nacelle
Est son propre capitaine
Et forme ses matelots
Elle a le cantique fier
Et le rhum dans l'estomac
Et cingle sur nos années
Vivante comme un trois-mâts

Pays du fond de moi

Pays du fond de moi
Sache que je te suis fidèle
Et que la planète est fragile
Autour de toi

Nul ne franchit jamais
D'autre frontière
Que le doux incertain
De tes mirages
Clôtures mal fermées
De l'enfance juteuse
Je vous franchis à gestes ralentis
Comme dans la lenteur des rêves
Un caillou dans tes puits
Tombe indéfiniment
Dans la patience noire
Vive stable et sereine de l'Eau

Pays du fond de moi
Sache que je te suis semblable
Et que les planètes sont multiples
Autour de toi

Je ne t'écris pas souvent
Aussi n'as-tu point à me répondre
Nous nous sommes parlé
Pour toujours
Je retrouve dans mes bagages
Les premières cartes postales
Du monde
Belle main d'écriture
De ma mère
Et sur le parchemin

L'or des années
Les rides
De la lessive
Et la date effacée
Sur le timbre du temps
Il n'est jamais trop tard
Pour vous donner réponse

Pays du fond de moi
Sachez que vous n'êtes pas mis en vente
Et que des galaxies
Ont rendez-vous chez vous

Il n'est silence si pur
Que vos cailloux ne touchent
Il n'est désert si sec
Que vos larmes n'irriguent
Il n'est nuit si profonde
Que votre œil ne constelle
Il n'est tombeau si vide
Que votre Vie n'y chante

Pays du fond de moi
Sachez du moins que je reste anonyme
Au beau jeu de nommer depuis votre moyeu
Les grands chevaux du carrousel

Pays du fond de moi
Sachez que ma Fête est fidèle
Et qu'inlassablement vos violons me dansent
Selon vos équinoxes

Mémoire de la vie inachevée

Cela s'est passé bien ailleurs
Dans une existence meilleure
Pourquoi ne m'a-t-on jamais dit
Qu'il y fallait retourner vivre ?
Et retrouver le riche ennui
Par les dunes de Haute-Nuit…
Cela s'est passé bien ailleurs
C'était une sorte de Vie
Comme on croit en avoir vécu
Au cœur d'un village surgi
Sur d'inaccessibles hauteurs
Et perdu cependant, très loin,
Dans la lenteur des plaines…

Ah ! Que je me souviens,
Fernand, du son de ton accordéon !
Ah ! je me souviens, Robert,
De ta guitare… !

Te souviens-tu, Fernand, vieux compagnon ?
Joues-tu encore les airs d'accordéon ?
As-tu gardé, Robert, sur ta guitare,
Les accords de ce temps ?

C'était une sorte de Vie
Où l'on trouvait par féerie
Le bonheur de n'en rien savoir
Où l'on parlait de ciel et mer
De matins frais et de beaux soirs
Avec tous les mots ordinaires
Sans poser, sans timbrer la voix…
C'était une sorte de monde
Que l'on ne saurait point refaire.

Ah ! Que je me souviens, Armand,
Du son de ton accordéon...
Que je me souviendrai, Jean-Paul,
De ta guitare... !

C'était si vrai, si grand parfois,
Qu'il m'échappait de ces paroles
Trop compliquées pour le bon sens :
Les tonneaux d'or du cimetière
Indien de la Pointe-aux-Anglais !

Paul-Roger rapportait : « Quatre heures. »
Avec deux chansons de plein ouest
On saute à la passe du jour
Et Raoul perdu de rengaines
Nous racontait que le soleil
Dirait bonjour à ses montagnes
Quand la nuit rencontrerait le jour.
Où sont vos violons, Jean-Pierre,
Moïse et Odilon ? Et la guitare ?
Et la mélancolie de vos harmonicas ?

Je sais qu'en lisant mon grimoire
Vous direz : Il a oublié...
C'était... mais comment reparler
De la lampe à l'huile blafarde
Sans l'éteindre ? Comment reparler
De la marée qu'on attendait
Pour aller lever les filets
Et la fenêtre bleu rivière
Et la douceur ni bleue ni verte
Des nuages frais d'aube proche
Et du découpage précis
Du bois vert, au nord, sur les plaines.

C'était une vieille maison
De l'est, au fin bout du village.
Une vieille escale sans âge

Où se finissaient les soirées
Après les filles désirées
Après les filles reconduites
Par longue nuit tout occupées
A l'amalgame de rengaines
Et danser comme des lutins
Jusqu'à minuit, jusqu'au matin
Avec les inventeurs de gigues
Et les compositeurs de reels.

Compagnons de bel équipage,
Vous souvenez-vous des étoiles
Pour lesquelles j'avais des noms ?
Moi je chante encor les chansons
Que nous avions pour faire voile.

Gardez-moi un accordéon !
Compagnons de mer et mémoire
Mes mots dorment dans vos guitares
Harmonicas et violons.

Je reviendrai, ayant appris
Les milliers de chansons promises
Autrefois. Et s'il est trop tard
Pour réinventer le voyage
Je n'irai pas chercher ailleurs
La patience de mon ennui
Nous nous assoirons sans rien dire
Sur le perron des anciens jours
Et nous ne parlerons de rien.
Et nous verrons passer les gens
Qui sont passés. Sans appeler
Sans rien essayer de leur dire
Avec l'œil lointain, le sourire
Ailleurs et le pied musicien.

Petite heure

L'après-midi meurt
Au bout de la rue
Sa mauvaise humeur
Se mêle aux rumeurs

Des gens qui s'en vont
Loin de la cohue,
Qui font et défont
Un ennui profond

Comme d'un désert
Une voix soudaine
S'élève dans l'air,
S'éloigne et se perd.

On croit percevoir
Le bruit des fontaines
D'où coule le soir.
Allons nous asseoir.

Sous les arbres gris
La vie est muette,
Un oiseau surpris
S'envole sans bruit.

Nous ne serons plus
Que des silhouettes
D'un calme absolu
Pour l'avoir voulu.

17 décembre

Dans le ciel frileux
L'après-midi rose
A la nuit propose
Un loin petit bleu.

La lune d'hiver
D'une assiette neuve
Verse sur le fleuve
Des reflets de fer.

Tremblant comme l'eau
Sous ce grand œil pâle
Le soir tarde et râle
Le long des enclos

Et le vent jaloux
Qui passe, frissonne.
Décembre en personne.
Entre chien et loup.

Marine

J’ai trouvé trois coquillages
Qui ne m’ont pas dit leur nom
Qui ne m’ont rien dit sinon
Que la mer savait leur âge

Ils m’ont conté les sillages
Le bruit que les bateaux font
Dans les oreilles du fond
Lorsque finis leurs voyages

Ils m’ont laissé des mystères
Que je dois garder et taire
Jusqu’à ce qu’un de mes fils

Apprenne dans la voilure
Le goût du sel et l’allure
Que mon père avait jadis

A Vêpres

Dans le champ de la saison blanche
L'automne a laissé des brins d'or
Avec un peu de vent du nord
Comme habillé pour le dimanche

Avec un peu de vent du nord
Je suis dans le fond de l'église
Aux vêpres que l'on chante encor
Et le vitrail naïf s'irise
D'un soleil pâle où le froid mord

Et ma mère parle en prière
Tout bas pour le repos des morts
On voit de là le cimetière
Où mon père dort depuis lors
Comme habillé pour le dimanche

Avec un peu de vent du nord

L'errante

Elle allait de par la plaine
Sous des lunes de ciel vif,
Le pas et l'œil fugitifs,
Depuis déjà des semaines.

Elle traversa le bois
Comme on entre dans l'église.
On la savait d'amour prise
Et d'amour morte cent fois.

Elle a changé plus souvent
De nom d'âge et d'apparence
Qu'on ait vu tourner le vent.

Tel la croit partie en France
L'autre qu'elle est au couvent !
Elle, sourit en silence.

Le fou

Tout seul le fou du roi réinvente la fête
Dont se sont enfuis les courtisans vêtus
Soudain des oripeaux de leurs seules vertus !
Seul le fou rit encor de leurs faces défaites.

Nul ne sait où le roi est passé. Le palais
Est désert. Et la garde enfuie. Et la reine
Introuvable. Déjà les servantes s'entraînent
A des airs de grandeur en un piteux ballet.

Tout seul le fou jubile et fait tinter ses cloches.
Et fait un tintamarre en traînant ses galoches
A faire le royaume accourir de partout.

Son nez rouge perdu, s'adressant à son ombre
Seul capable d'écrire encor, le fou dénombre
A combien de rois morts est estimable un fou.

Assonances

Supplique

Écris-moi
Écris-moi ce mot : Fenêtre...
Pour voir. Pour naître.
Le mot, tu vois,
C'est le mode d'emploi.

Quelqu'un l'ouvre
On découvre
Un ballon sur l'horizon
Qui peint arbres et maisons
C'est un peintre bedonnant
Généreux et négligent
Exigeant...
Du bout de ses doigts jaunis
Il tombe des pissenlits
Un peu partout sur les champs.

Écris le mot : Porte...
Et sors. Et n'emporte
Rien. Rien d'autre que le corps.

L'âme est déjà rendue loin
Elle est perdue dans les foins.

Socle

Il est encor le temps
D'être
La pierre
Enroulée sur sa mélodie
Celle qu'on ne déplace
Qu'à tour de reins, qu'à tour de bras
Qu'à coups de gueule et de pic
Encor le temps
D'être la rouille
Qui fait semblant
D'être le temps
Ce petit manteau brun de fin d'avril
Et qui est
Sous le commencement du puits
La longue mort du fer

Instantané

Écoute bruire ces abeilles
Elles prennent dans nos oreilles
Les mots dont nous ferons demain
Du miel et de la cire
Et de petits soleils...

Entends ces bruits si doux
Quand on se les rappelle...

Entends ces bruits d'enfants
Pleins de colère
Et pleins de temps
Insouciants
De notre usure
Entends ces voix, ces petits pas
Qui vont si bien, si loin, si vite...
Ces cris stridents
Que dans trois mois
Ces bruits cassants
Que dans trente ans
Nous appellerons : le bonheur !

Comme quelqu'un qui vient de l'inventer
Comme celui qui vient de le trouver
Sous de vieux papiers mal rangés
En cherchant un calendrier.

Avertissement

En ces temps incertains
Entre extinction d'espèce
Et renaissance universelle
Des enfants seront vus
Prostrés pendant des jours entiers
Remuant légèrement les lèvres
Devant certaines fleurs
Parmi les plus sauvages
Surtout : Ne jamais
Brusquement
Les sortir de leur réalité neuve
Qu'on prendra au début pour des rêves
Mais plutôt voir
A ce qu'ils ne prennent point froid
Leur construire si c'est l'automne
Un abri même sommaire
Et les attendre
Un peu en retrait

C'est d'eux et de personne d'autre
Qu'on prendra des nouvelles
Des intentions véritables
De ce qui restera d'instinct
Dans la chimie révoltée
Des moindres marguerites...

Les écoliers du mois de mai

Les écoliers du mois de mai
S'en vont tout seuls et tous ensemble
Les pas battus, les dos courbés
Tous différents qui se ressemblent
Mais c'est tout seuls. Que vous en semble ?
On croit qu'ils s'en vont à l'école
Mais regardez comme ils s'envolent
On dirait la volée d'outardes
C'est une volée d'écoliers...
D'ailleurs on trouve leurs souliers
Tout le long du chemin qui passe
Pour un vrai chemin d'écolier.
On trouve aussi de leurs cahiers
Et quelques devoirs mal finis
Une grammaire. Un encrier
Et des plumiers cherchant leurs plumes
Et leurs crayons éparpillés.
Vous croyez qu'ils sont à l'école !
Entendez-vous comme ils rigolent ?
Là-haut dans l'air familier
Aux goélands et aux outardes...

Mais le professeur les attend
Le professeur n'est pas content...
Il a horreur du mois de mai.

Rentrez-moi cette aile. A vos places !
Qu'avez-vous fait de vos cahiers ?

Je l'ai perdu... J'ai oublié...

Un enfant dessine en rond

Un enfant dessine un cercle
C'est sa balle. C'est sa tête
Un enfant dessine un rond
C'est sa tête et son ballon.

Est-ce une île sur la mer
Un hublot sur la nuit noire
C'est le O du mot mémoire
C'est l'astre d'or d'un doublon.

C'est la lune toute pleine
C'est l'entrée d'une caverne
Vu de l'aigle ou du vautour
C'est le sommet de la tour.

Un enfant dessine un cercle
Et pose un point au milieu
Une perle dans le seau ?
Un nombril à son cerceau ?

C'est une petite pierre
Qu'il a jetée dans le puits
Et qui traverse la terre
Et l'eau dessine avec lui...

Un enfant dessine un cercle
Et pose un point au milieu...
Est-ce le sein de sa mère ?
Ou la Roue et le Moyeu ?

Un enfant dessine en rond...
Le contour de sa planète...
Je vous dis que c'est sa tête
Il vient d'ajouter les yeux.

Il dessine à l'infini...
Des commencements d'horloge ?
Mais, c'est moi qui m'interroge
Son dessin n'est pas fini...

La Visiteuse

Quand la main, mal éveillée
D'avoir dormi sous la tête
Qui pesait sous l'oreiller
Avec ses pensers si lourds
Quand la main qui dort encor
Ne fait plus partie du corps
Et qu'il faut remettre en marche
Patiemment et poliment
La sanguine mécanique
On s'y remet avec fièvre
Et doute et fébrilité
Et cette hâte étonnée
De se retrouver réel
Pour commencer la journée
Avec les autres vivants.

Mais ne nous abusons point
Le corps ne s'y trompe pas
La Visiteuse est venue
Effleurant de sa main nue
Cette main mal protégée
Que la nuit met en danger.

Une lettre

Un de tes souliers
Sorti du placard
A fait seul le tour
De la chambre
Hier après-midi...

L'un de tes colliers
Cogne à la fenêtre
De ton grand miroir
Ce soir. Où est-elle ?
Dit-il à son double.
Donnez des nouvelles.
Ouvrez la fenêtre :

Ton papier à lettre
En a profité
Pour tomber par terre
J'ai tout replacé.
Mais demain les mêmes
Vont recommencer

Un jour, c'est ta bague
Ou ton bracelet
Et la nuit ta lampe
S'éteint toute seule
C'est comme un sommeil
Plus rien n'est pareil
Chaque chose attend...

Viens-t'en.

Juin

Dans le cerisier
Étalant
Ses primeurs
L'abeille
Fait son marché

Midi

Tant qu'il ne sait pas
Que je le regarde
Un oiseau s'attarde
Et prend son repas
C'est une mésange
Petit bruit soyeux
En fermant les yeux
Je l'entends qui mange...

Hiver

Apparue soudain
Sur ma page vide
Une mouche écrit
Un roman.
Seul dans l'infini
Des glaces du nord
Un homme, à la chasse...

Quatre heures

Le vent est passé
Ouvrir la fenêtre
Tombant de ses mains
Le beau livre
S'est plié une page
Le thé refroidit
Sur la table
Le vent est passé
Il sort.
Il est reparti.
Elle dort...

Promenade

Un air de Schubert
Coule d'une fenêtre
Et je poursuis mon chemin.
Quel âge a-t-elle ?...

Aperçu

La miette nue
Un moineau l'a vue
De très haut...

Correspondance

J'ai reçu des cartes postales
D'amis anciens qui m'écrivaient
Toujours du fond des beaux voyages
Où mes yeux fermés les voyaient

C'est sur les quais, vers les quatre heures
Où le facteur ne va jamais
Là où le bouquinier demeure
Vendeur de temps et de secrets

Mille fois j'ai changé d'adresse
Et de nom. Et pour un écu
Je reçois encor des nouvelles
Des mille vies que j'ai vécues

A tant d'amitiés mal connues
De Rome, d'Istanbul, de Londres
Comment voulez-vous correspondre
A tant d'amours mal avenues

Dans mes trop distraites jeunesses
... Alors au lieu de vous répondre
Je vous lis avec la tendresse
Que l'on garde pour l'inconnu...

De nuit

Sur le papier blanc et nu
Les mots ne sont pas venus
Ai-je posé ce point noir
Je suis surpris de le voir

Mais le voici qui s'élève
Et monte jusqu'au plafond
Oh... Madame l'araignée
Peut-on savoir votre nom ?

Toute la nuit dépensée
A filer votre pensée
Ne vous en apprendrait rien

Nous n'avons de nom personne
Écrivez donc ce qui sonne
Au fond de votre chagrin...

CONTES

La petite heure

Le réverbère

Une petite fille qui avait son jardin à elle y avait planté des ampoules électriques dans l'espoir (un bien petit espoir) qu'il y pousserait des fleurs lumineuses ou peut-être, elle ne savait trop sous quelle forme, simplement de la lumière. Comme il n'y poussait rien au bout de plusieurs semaines, elle n'insista pas davantage et finit par oublier la chose. Elle avait grandi d'ailleurs pendant ce temps.

Quinze ans après, alors qu'elle arrivait parfois, avec bien des conditions difficiles, à être encore une petite fille, elle se rendit à son ancien jardin.

D'abord elle n'en reconnut rien. Une rue passait par là. Il y avait des maisons plus loin. Ici tout près, à peine un petit coin de parc. Mais à deux pas d'un vieil orme qu'elle avait bien connu, à la place exacte de son jardin, avait poussé très haut et fleurissait pour la nuit toute proche, un réverbère.

Le roi

Lorsqu'il ne resta plus qu'un seul roi dans le monde, on eut grand-peur qu'il ne voulût dominer la terre et, pour protéger l'idée de république universelle, on l'assassina. Mais c'était pure politique et on le lui prouva, sitôt mort, par des obsèques internationales. Partout dans le monde ce furent des cortèges avec landaus, bannières, cloches et cantiques. La messe dite, chacun s'en retourna chez soi, avec sa petite idée derrière la tête, en criant : « Vive les républiques. »

Au même moment, derrière un vieux hangar, des enfants jouaient à se réunir en conseil pour désigner le successeur au trône.

Les jeux

Il avait en réalité quinze ans. Mais dans le quartier personne n'en savait rien. Il aimait faire semblant de s'amuser beaucoup en compagnie d'enfants de sa taille. Le plus vieux du groupe n'avait pas six ans. Cependant il lui arrivait d'inventer des jeux étranges auxquels tous ne se prêtaient pas. C'est ainsi qu'on les surprit un jour, tous les huit alignés sur une file, animant de mouvements lents et doux à peine perceptibles leurs petits bras levés en l'air. Dès que le facteur qui passait à ce moment les aperçut, ils laissèrent tomber les bras d'un air gêné sans rien dire et se dispersèrent. Le facteur qui n'a rien à faire que d'être curieux demanda à son fils (il en était) de lui raconter ce qu'ils étaient en train de faire. « On jouait aux arbres », finit-il par avouer. Puis comme pour s'excuser, d'une explication salvatrice : « Nos bras c'étaient nos branches et les doigts, du feuillage qui poussait. Ten nous a dit que si on les laissait assez longtemps dans le vent qui vient de l'ouest, il nous en pousserait d'autres. » Et en dernière excuse : « Est-ce que c'est vrai ? »

Lorsqu'on eut découvert deux ou trois jeux de ce genre, les autres enfants soigneusement munis de crainte superstitieuse et d'adultes prudences délaissèrent Ten avec la cruauté tranquille propre à leur âge. Et Ten un jour se vengea d'une atroce manière. Il arriva soudain au milieu d'eux, un avant-midi de soleil alors qu'ils jouaient à l'un de leurs jeux stupides. Sans ajouter un mot, avant même qu'ils eussent le temps de réagir et de s'enfuir (ils semblaient au contraire tous figés sur place, fascinés par quelque nouvelle étrangeté à laquelle secrètement chacun voulait prendre part), il se déchaussa, simplement. Et tous les yeux comme s'ils s'en étaient doutés d'avance se mirent à compter les maigres orteils de Ten. Chacun de ses pieds en avait six.

Le piano

Mademoiselle Marielle venait à la maison tous les jeudis. Elle jouait adorablement le piano. Elle était blonde et très belle. Sa robe était blanche avec sur le col, à gauche, deux marguerites qu'elle me donnait toujours. Je crois bien qu'elle avait seize ans. J'en avais six alors et j'étais éperdument amoureux d'elle. Après avoir écouté deux heures de Mozart sagement assis près du piano noir, j'allais reconduire Mademoiselle Marielle jusqu'à la butte aux fraises, et là, je restais seul sur le petit pont qui saute la clôture à la regarder s'en aller puis disparaître, puis à attendre je ne sais quel hasard impossible qui l'eût fait revenir.

Elle ne revenait plus avant le jeudi suivant.

Je rêvais que Mademoiselle Marielle me prenait dans ses bras et m'embrassait les joues en me disant : « Je ne m'en irai plus jamais. Je vais jouer du piano pour toujours. » Ou bien, en s'en allant vers les 4 heures, elle se retournait arrivée au chemin d'en haut, et m'apercevant, revenait en courant pour rester à veiller. Je rêvais d'autres fois que tout disparaissait du village, excepté la butte aux fraises avec le piano dessus et nous deux.

J'ai vingt fois failli me jeter à son cou et l'embrasser. Je n'osai jamais. Comme je le regrette aujourd'hui, quand je songe à quelles sincérités on peut se livrer sans danger à cet âge tellement les grandes personnes sont aveugles !

Un jeudi, elle n'est plus venue. Elle se mariait. Je n'en sus rien. Tous les jours, j'allais l'attendre sur la butte en ayant l'air de chercher des fraises. Je me disais : « Elle est peut-être malade, elle va venir demain. »

Jusqu'à ce jour terrible où je la vis arriver en costume brun avec Monsieur Léonce qui me dit tout fier :

— Alors, tu en trouves des fraises ?

Je me mis à pleurer et me sauvai pour fuir leurs odieuses consolations.

Elle venait faire une dernière visite à maman avant de partir pour la ville.

Et comme je les regardais s'en aller :

— Mademoiselle Marielle a dit qu'on devrait te faire apprendre la musique plus tard.

Je ne suis plus jamais retourné sur la butte. Nul ne s'en est aperçu ni soucié que moi-même.

Le matin

Tous les jours du bon Dieu, Achille le charpentier réveillait le soleil et dans le vent frisquet, avant de commencer un canot ou de radouer une vieille quille, descendait sur le bord du plan respirer l'air de l'eau.

— Et moi, j'vous dis que le matin, c'est la plus belle image du monde. On devrait l'encadrer !

C'est une manière de penser des gens de mon village que de vouloir encadrer tout ce qu'ils trouvent beau. Sitôt qu'ils ont trouvé une gravure, une image et qu'ils l'aiment, ils la découpent et s'en font un tableau.

— T'es charpentier ! T'as beau l'encadrer le matin, si t'en as envie ! Qui est-ce qui t'en empêche !

— C'est une idée ! J'y penserai.

Tout le monde éclata de rire dans la boutique des Galets où les bateaux blessés venaient à l'hôpital. « C'est qu'il est capable d'essayer ! »

Achille vivait seul dans une immense maison dont il n'occupait que les deux pièces du pignon de l'est : une cuisine en bas et une chambre au-dessus, le reste du bâtiment servant depuis longtemps de remise et de hangar.

Or, comme exprès pour le contrarier, les charpentiers d'autrefois n'avaient pas fait une seule fenêtre au ciel dans le pignon de l'est.

L'est, c'est le matin.

Ce soir-là, en revenant, Achille rapportait ses outils et tôt le lendemain des voisins remarquèrent le bout de l'égoïne qui sortait et rentrait au beau milieu du mur.

— Tu veux voir venir le vent d'est !

— Qui vivra verra ! disait-il sans s'arrêter.

Mais la rumeur publique amplifia le mystère, et bientôt de partout les gens venaient se renseigner. Il leur riait au nez et poursuivait son ouvrage.

A la fin les plus raisonnables montèrent le trouver dans la chambre. « AH ! » qu'ils dirent tous en même temps ! Le mur est de la chambre s'ouvrait d'une immense fenêtre plus large que haute et merveilleusement encadrée de festons et de motifs sculptés.

— Va te falloir de grandes vitres ! disait le maquillon en se grattant l'oreille.

— La vitre ? J'la fais venir de la ville !

— Rien qu'une vitre ! Ça va te coûter cher, une fenêtre comme ça ! Ça va te coûter un prix de fou !

— Fenêtre ? C'est pas une fenêtre. C'est un cadre ! Ça vous met du temps à comprendre !...

— Un cadre !...

On n'en dit pas davantage mais, une fois à l'abri chez soi, chacun déclara à sa femme : « Achille, il tourne ! »

Il a reçu sa vitre de la ville, et cinq années durant, tous les jours de soleil, Achille eut pour lui seul son merveilleux encadrement du matin.

Achille a invité du monde à venir voir avec lui le matin encadré. Mais on dormirait plus tard ou on se lèverait plus tôt. Personne ne dit jamais qu'il avait peur.

Des gamins ont cassé la vitre.

Et aujourd'hui qu'Achille est mort sans héritier, les Ramier habitent sa maison. Une fenêtre plus haute que large et deux planches bien ajustées ont fermé la porte au matin. Et Madame Ramier dit souvent : « C'est drôle. C'est la pièce la plus sombre de toute la maison. »

Le zèbre

Par un midi splendide, dans une ville morte de chaleur, le soleil, par malice ou par désœuvrement, s'empara de la grille du château pour l'imprimer en noir vif sur le poil blanc d'un petit cheval qui se croyait sans doute à l'ombre et somnolait doucement dans l'air tiède.

Quelqu'un passa.

Le petit cheval se retourna.

— Oh ! Mais par exemple ! Et moi qui ne m'en suis jamais douté ! Là, pour une bonne, c'en est une bonne !

Et de rire, mais de rire, en plein midi le petit cheval blanc.

— Mais alors ! J'ai toujours été zèbre, j'ai été zèbre cinq ans, et cela sans m'en apercevoir. Mais oui, le zèbre qui se prenait pour un cheval, c'est moi !

Le petit cheval riait tout seul, de plus en plus seul d'ailleurs, dans la rue terriblement ensoleillée.

Un vieux cheval passa par là, traînant ses années et ses jours dans une charrette sans maître.

— Salut, petit zèbre, dit-il, sûr de sa blague.

— Salut vieille carcasse ! Alors, t'as vu ça ? Hé oui ! ce sont des choses qui arrivent...

Il expliqua comment il venait tout juste de découvrir...

— Voyons, petit ! Tu n'as pas cru... Non mais t'es fou ! Tes barres ? Mais c'est la grille ! Oui, la grille... le soleil !

— Ah ! C'est vrai... j'avais cru... bafouilla le pauvre petit zèbre sans même se retourner.

Mais sans crier gare, il décocha au vieux raisonneur une prodigieuse ruade, en gueulant à tue-tête :

— Vous auriez pu vous mêler de vos affaires, vous. Le soleil était là pour s'occuper de ça. C'est que vous êtes bête, avec votre expérience et vos souvenirs malades. Quand je pense que je n'en avais plus que pour deux heures à être zèbre et que vous me les avez gâchées ! Que le diable vous emporte !

La vieille rosse était déjà partie, un chagrin de plus dans sa charrette, sans rien comprendre.

Seul, au beau milieu de la rue, un petit cheval blanc commençait à douter du soleil.

La prison

C'était un homme à qui on jetait toujours la première pierre. Tout avait commencé dès la première. Il l'avait mise dans sa poche en se disant : (ce qu'on se dit quand on reçoit la première pierre...). Par la suite il les avait toutes ramassées en se disant à chacune : (vous savez quoi).

Des fois il recevait des volées de premières pierres.

Un jour il en eut plein les poches et en vint à se demander quoi d'utile il en pourrait tirer.

Le lendemain, dédaigneux des mauvais regards et après avoir mûrement réfléchi, son mur se mit à le protéger... jaloux et maternel.

Ce fut sa prison.

Les miroirs

Une fois c'était un homme qui cassait les miroirs. Un homme ordinaire, pourtant, qui fumait, buvait, mangeait, dormait et dansait comme tout le monde. C'était de plus un expert du tir à la fronde ! D'une adresse ! Qualité exceptionnellement précieuse pour un tel homme.

Un jour qu'il venait tout juste de transformer en un tas de reflets concassés une glace admirable du cinéma Carré, il m'expliqua très posément qu'il n'avait pas toujours brisé les miroirs.

Cela datait d'un soir de novembre qu'il avait rencontré, au sortir d'une ruelle, un homme exactement semblable à lui et qui lui avait dit avec un sourire : « Je voulais justement vous voir. »

La sirène

Tous se retournèrent d'un seul bloc lorsqu'ils entendirent le sifflement d'admiration du contremaître, un homme qui ne disait jamais un mot plus haut que l'autre et ne savait que donner des ordres brefs et précis, du ton de celui qui se sait habituellement obéi. Tous la virent du premier coup d'œil. Et le sifflement qui jaillit alors de vingt bouches humaines ressemblait à une salve. Les hautes grues, les poutrelles d'acier, l'échafaudage d'hommes et de métal et ces vingt paires d'yeux et de mains allumées, tout était effrayant, tout aurait dû prévenir cette femme de la gravité de ses gestes, de la lourdeur de ses hanches, du galbe de ses mollets, du soleil de sa chevelure, de l'opulence de ses seins hauts et fermes, tout aurait dû l'éloigner de ces lieux. Qu'y venait-elle chercher qu'elle n'eût trouvé ailleurs mille fois ? Qu'y venait-elle faire autre que le mal au centre de ces hommes de sueurs et de bruits, de fer et de danger ? Un cri figea dans une pose grotesque, presque de cinéma, ses épaules rondes, son dos, sa nuque, ses hanches et ses seins, tout ce plaisir en équilibre sur des escarpins noirs. Et se figèrent les yeux, les mains, les hommes. Et chacun comprit bien que Malcolm était mort depuis déjà plusieurs secondes, la tête aplatie entre les deux pièces sur lesquelles le cadmium et le sang composaient lentement d'horribles fantaisies.

Une poutrelle suspendue au palan cognait contre la charpente. Le compresseur ronronnait doucement comme une bête endormie. Le contremaître hurla un ordre et le silence vola en éclats de bruits, de chocs, de cris, de mal. Une robe mauve pleine de chair et d'os brisés dépassait des bords de la poutre énorme que le palan manœuvré par une main aveugle avait laissée partir.

Il ne fut jamais question que d'accidents. Quinze jours plus tard, en regardant ailleurs, le contremaître laissa tomber, comme un écho... près de trois de ses hommes : « Avec une femme pareille, Malcolm était mieux mort. »

Le mur

Un ancien maçon, condamné à vingt ans de travaux forcés, réparait avec un soin surprenant le mur extérieur de sa prison. Il était, bien entendu, sous bonne garde et, quoique son travail fût obligatoire et méticuleusement surveillé, il y mettait un souci de parfaire qui ne manquait pas d'étonner les badauds et même les deux gardiens. Quelqu'un s'en étonna tout haut et l'ancien maçon répondit sans détourner un œil de son travail, du ton de celui qui attendait la question : « Quel charme y aurait-il à s'évader d'une prison mal construite ? »

Puis, les policiers bien inquiets, devenus plus gardiens que jamais, il poursuivit, comme pour lui seul : « Un mur où on a mis la main soi-même nous en apprend plus long sur la liberté de l'homme que tous les philosophes. »

Cette phrase alla très loin et vint aux oreilles d'un moine. Ce moine alla visiter le maçon. Ils parlèrent longuement. Et le maçon, sans déranger personne, sortit de la prison par la grande porte, vêtu de bure et ceint de corde.

Le directeur de la prison, qui est un homme subtil et qui n'en laisse rien voir, a demandé dernièrement à un cambrioleur professionnel de réparer la croisée d'une fenêtre, et le travail est si bien fait, qu'on sent qu'il se passera quelque chose d'ici peu, malgré l'interdiction formelle émise depuis ce jour d'adresser la parole à un prisonnier au travail.

Conte-fable

Il était une fois, dans un petit bois de bouleaux et de trembles, un petit castor honnête qui s'exerçait à construire sa digue personnelle et sa maison d'hiver aux frais des arbres jeunes et d'un ruisseau qui passait là. On était en automne et tout était rousseur. Jusqu'au soleil qui mélangeait de l'or pâle à sa lumière. Sur la rivière toute proche, la digue des parents était prête et le petit castor dont je parle n'avait rien à faire que de jouer. Mais jouer pour jouer n'est pas longtemps intéressant. Tandis que jouer au travail, jouer à faire semblant de ne pas avoir le temps de jouer, voilà le beau jeu quand on a hâte d'être grand. Pour un castor qui sait jouer, le jeu, c'est la digue. Donc, il coupait les trembles jeunes en petits billots pointus des deux bouts et les piquait laborieusement dans la glaise entassée à grand-peine au milieu du ruisseau.

Soudain, au beau milieu de ses travaux, un nuage passa devant le soleil, et l'ombre enveloppa le jeune bâtisseur. Mais ce n'est pas un nuage. Par la loutre, qui sait toutes choses, c'est un oiseau.

— Je suis l'aigle.

L'ombre était immense maintenant et recouvrait la digue.

— Tu es un petit travailleur. Je te fais peur. Je remonte.

— Non.

Ce mot lui avait échappé.

— Tu veux savoir ?

— Oui.

— Bon. D'en haut on voit tout. On sait tout. On voit venir de loin le chasseur, la crue des eaux, les nuages à pluie, les nuages à neige, les outardes qui déménagent, les perdrix qui s'installent, les caribous qui fuient tout le temps. Et on s'ennuie.

— Et vous n'êtes pas méchant ?

— Méchant, moi ? Les goélands qui vous ont dit ça. Ils voudraient que tout le monde passe pour des mangeurs de tout comme eux. Je ne suis pas méchant. Je suis un aigle. Je ne suis pas une hirondelle. Tiens, c'en est une qui n'a pas une belle réputation. Pour sa grosseur.

L'aigle avait replié ses ailes et se promenait maintenant le long du ruisseau, examinant les travaux d'un œil de connaisseur.

— Est-ce que je peux t'aider ?

Mais la réponse était muette.

— J'aime ton travail, petit, est-ce que tu aimerais que je vienne demain avec gros comme ça de glaise dans mes serres ?

— Excusez-moi, mais ce n'est pas nécessaire.

— Aimerais-tu voir un peu de pays, savoir où le chasseur habite ?

Mais le petit rongeur, qui faisait semblant d'avoir bien de la difficulté avec une écorce, prit un moment avant de répondre :

— Vous êtes vraiment bien bon. Et je vais le dire. Mais pour ce qui est du voyage, mes parents ne seraient pas contents du tout. Et de me voir en l'air avec vous, ils s'imagineraient des drames et des catastrophes, et, au retour, ils me puniraient... vous savez, les parents castors, ça ne voit pas plus large que la digue.

Ils avaient un peu marché tous les deux. Tout à coup le petit castor cria :

— Pas là. Ne marchez pas là.

Puis l'aigle s'étant arrêté avec un œil protecteur en coin (il avait vraiment affronté des dangers plus graves que...), il vit le petit castor découvrir une énorme machine de fer sous les feuilles mortes, et, avant qu'il eût pu dire quoi que ce soit, le brave petit animal avait jeté dessus un bout de tremble, et les mâchoires de fer faisaient : CLAC ! Il y avait deux morceaux de tremble.

— Il y a longtemps que j'aurais dû le faire. C'est un piège pour prendre les ours. Mais ça finirait par faire mal à quelqu'un. Il faudra traîner tout ça dans la rivière. Il y a longtemps que tout le monde sait qu'il est là. On le laissait tendu pour faire semblant.

Sans même oser proposer son aide pour mener le piège à la rivière, l'aigle remercia beaucoup, s'excusa brièvement, et s'envola.

— Je reviendrai. A un de ces jours.

Mais en aigle, cela veut dire : « Je viens de recevoir une bonne leçon. Il faudra bien que je la lui rende. »

Le petit castor avait dit :

— Merci pour votre visite, et revenez.

Ce qui en castor dit : « J'ai eu une de ces peurs. Les goélands sont des bavards et des menteurs. »

L'histoire fit toute la rivière et l'aigle s'était agrandi d'une digue à l'autre. Le petit castor avait parfait le tour de la terre dans les serres géantes. Les goélands avaient été réduits à se cacher plusieurs saisons. Les ours avaient construit une digue imprenable et mille autres merveilles.

Mais en chasseur, en ours, en aigle et en castor, cela revient à dire : « Il faut parler aux gens avant de les manger. »

Le chauffeur

Il n'y avait pas plus discipliné, il n'y avait pas plus calme, posé, soigné, méticuleux, il n'y avait pas plus raisonnable. Il n'y avait pas plus notaire que lui. Son fils était en droit et sa fille avait quinze ans. Sa femme avait du sens et tenait le mieux du monde une maison modeste mais pourvue d'un confort acquis pièce à pièce avec la patience des années et l'inconscience du bonheur. Il ne restait vraiment plus qu'à être heureux. Monsieur Léon Laurent ne l'était pas. Cette pensée lui vint un soir d'hiver comme il retournait chez lui à 4 heures, la petite heure comme il l'appelait. La journée de février avait été douce et grise au-dehors, vide et longue au bureau, et il avait eu, tout l'après-midi, l'agacement d'un sentiment indéfinissable qu'il était trop facile d'appeler de l'ennui. Mais au deuxième feu rouge avant sa rue, il avait mis au foyer cette image vague de soi-même que l'on garde à fleur d'eau du quotidien et il savait, comme un notaire sait les choses, à quel point rien de ce qui faisait sa vie ne l'intéressait plus. Et lui vint l'idée bizarre qui l'allait conduire ailleurs, hors du monde connu. Sa voiture au garage, au lieu de rentrer comme tous les soirs et de lire le journal rituel après avoir embrassé sa femme sur le front et sa fille sur les deux joues, il y pensait tout de même tout en marchant, il décida d'aller à pied, de par les rues. Et se retrouva bientôt dans le quartier du bas de la ville où il se souvenait d'avoir eu, deux ans passé, un client sans gêne au chèque sans provision.

Il remarqua avec étonnement que ces rues-là grouillaient d'une vie infiniment plus réelle que sa rue à lui et prit l'autobus pour rentrer.

— Je suis allé faire un peu de marche. Toute la journée assis ainsi, je m'ankylose.

Mais cela ne semblait pas avoir dérangé la marche des choses de la maison comme il l'avait craint. Il découvrit qu'il était son maître et qu'il avait le droit de prendre les marches qu'il lui plairait.

Il laissa passer deux jours cependant avant de changer de monde. Cette fois (il ressentait de plus en plus sa solitude et l'ennui de sa vie), il entre dans un restaurant. « Un café. » Un chauffeur de taxi (non ! d'autobus) parlait à un ouvrier juste derrière lui.

— Je l'ai rencontré à la taverne.

— Pas à la taverne ici à côté ?

— Tel que je te dis.

— Ah ! Ça parle au diable. Un de mes meilleurs amis.

— Le monde est petit, hein ?

Il n'entendit pas la suite, paya et sortit.

Devant l'enseigne *la Taverne des Bons Amis*, il se dit : « La prochaine fois. »

Ce fut le lendemain. Et ce fut inoubliable.

La taverne était pleine de monde. Deux tables au moins le remarquèrent. Mais lui eut l'impression que le monde entier venait de s'arrêter de boire pour regarder le notaire qui venait boire un coup. Cependant, il semblait au notaire que dans ce monde, à lui tout étranger, les choses en venaient à se faire comme d'elles-mêmes, si bien qu'après trois fois il laissait un pourboire raisonnable, payait un verre à toute une table et causait avec tout le monde comme un habitué.

— Qu'est-ce que c'est ta job toi, Léon ?

— Moi... j'suis chauffeur.

— Chauffeur ?

— D'autobus.

Cela lui était venu tout seul.

— Viens faire un tour à la maison. Tu connais personne. Ça te fera une place. Faut avoir des amis dans la vie. Viens donc souper.

C'est là que commence une étrange existence pour le notaire, toujours en retard d'une heure chez lui.

Le bureau était devenu une fête. Et la modeste mais confortable demeure, une routine acquise avec les ans.

Mais, le clandestin du jeu inventé à chaque instant, il était devenu véritablement partie intégrante d'un univers qu'il habitait à titre d'invité perpétuel. Il y avait pantoufles et manie, y fumait une pipe enivrante, y mangeait un mets princier pour le moindre ragoût, y buvait une bière forte et riche, et rentrait des fois vers minuit dans sa peau de notaire, encore toute la tête éclairée de feux mystérieux.

En trois mois, quelques questions habilement retournées, une explication inspirée, des doutes, des taquineries, mais rien d'ennui sérieux.

C'est de la source d'un bonheur qu'il faut toujours en attendre la mort.

Il faisait mai dehors et on allait fumer une pipe dans la petite cour où les enfants d'Henri feraient brûler des feuilles.

— Léon, mon frère Arsène que je t'ai parlé, qu'avait trois terres en bois debout p'is des maisons à Saint-Étienne, il est mort.

Puis après un moment :

— C'était le plus vieux p'is comme c'est moi le plus jeune, il me laisse ses maisons p'is un' terre. Seulement, ça a l'air que son testament est pas bien fait p'is son beau-frère veut faire de la chicane avec ça. J'sais pas quoi faire.

— Va voir un notaire, dit le chauffeur d'autobus, sans broncher.

— J'en connais pas. P'is les notaires c'est comme les avocats, moins t'en vois, plus t'as d'quoi.

— Va voir un bon notaire. Attends, quand mon père est mort, je me souviens...

Le nom et l'adresse d'un confrère, sûr et efficace, compétent surtout.

Mais, le lendemain à 11 heures, Monsieur Laurent entendit, comme dans un rêve qui accélère tous les mouvements et dénoue tout à la hâte, sa secrétaire qui disait, la voix pareille, poliment :

— Un monsieur Henri Langer voudrait être reçu tout de suite.

Le confrère était absent. Il aurait dû le savoir. Le doigt

qui donne une chiquenaude sur la carte de base et le château qui se défait soudain. Après, ce ne serait plus pareil.

— Faites entrer, mademoiselle.

Trois mois de vie véritable. Henri entrait.

— Mais... Mais c'est Lé... vous êtes Monsieur Léon.

— Oui Henri. Un notaire. Assis-toi. Aie pas peur. Je vais t'organiser ça. Tu vas voir. Tu m'en veux pas trop ?

Non, Henri n'avait pas l'air de lui en vouloir, et il se montrait heureux de connaître, aussi bien, quelqu'un d'aussi considérable. Et on s'habituera à l'appeler Léon. Et...

Mais ce soir-là, il rentra à 4 heures.

— L'hiver est vraiment fini.

— Tiens, c'est toi ?

— Oui. C'est moi.

A l'aéroport

HONORÉ. — A part de ça, on dit : Paulo ! Y a pire. Parlons des touristes...

ARSÈNE. — Ma Jeanine est pas plus touriste que ta grande Élise. Elle a été voir sa tante Raymonde à Sept-Iles. C'est sa marraine p'is elle 'i payait son passage. Touriste... J'vas t'en faire. Touriste...

HONORÉ. — Bon. Bon. Prends pas ça de même. Parlons pas des touristes. Revenons à Paulo. On s'éloigne pas beaucoup de Jeanine... Hein, Arsène ?

ARSÈNE. — Non. C'est vrai. J'su's pas sans savoir que j'ai l'air de parler pour elle. Tu sais aussi bien que moi c'qu'elle allait voir à Sept-Iles. Pauv' p'tite. Elle arrivait comme i' r'partait pour Matane. J'te l'dis, c'est l'oiseau sur la branche. Elle, elle a sa fierté. Elle a fait comme si c'était pas de ses affaires, mais elle est revenue le cœur dans l'eau.

HONORÉ. — Ouais. Je la comprends. Pauv' Jeanine. Excuse-moi, j'voulais pas te... Mais, entre nous, la vois-tu prise avec un courant d'air pareil...

ARSÈNE. — Je l'sais. J'i ai dit. Mais l'amour c'est plus fort que le voyagement. Veut pas entendre parler d'un autre.

HONORÉ. — Va falloir qu'elle se résigne. Lui, le chemin c'est sa vie. C'est comme on pourrait dire : là qu'il reste.

ARSÈNE. — Va falloir. Elle ou lui... c'est certain.

HONORÉ. — Lui ? Attache-le, il va se détacher. Et de toutes manières arrête-le de bouger, c'est elle qu'en voudra plus dans trois mois.

ARSÈNE. — Crois-tu vraiment ce que tu me dis ?

HONORÉ. — Va lui demander.

ARSÈNE. — A qui ? A elle ?...

HONORÉ. — Oh... Non.

ARSÈNE. — B'en... à lui ?

HONORÉ. — Non plus. Il le sait pas mieux.

ARSÈNE. — Mais à qui donc ?... Maudit !

HONORÉ. — B'en oui. A qui ?...

Une lettre d'Éva

Quand Éva eut sept ans, elle décida d'écrire une lettre. A qui ? Bah... On verrait cela plus tard. Il faut d'abord l'écrire. Aussi, pour son anniversaire, au lieu de bonbons et autres babioles, elle demanda à sa mère de lui offrir de l'encre. A son père, elle demanda du papier. Il crut que c'était pour faire du collage et sa mère crut que sa petite Éva avait le goût de dessiner. Elle reçut donc, ce jour-là, du papier blanc, du jaune, du bleu, du vert, du rouge, et puis du noir. Et cinq couleurs d'encre : la noire, la bleue, puis la verte, la jaune et enfin la rouge.

Puis se retira pour commencer d'écrire sa lettre. Elle eut du mal d'abord à choisir son papier. Sur quel papier écrit-on les lettres ? Puis elle se dit qu'une lettre sur du papier jaune cela serait comme un sourire à lire et en prit une feuille. La première bouteille d'encre qu'elle réussit à ouvrir fut la bleue. Bon. Prendre la plume. Mouiller la plume comme fait maman avec le bout de la langue. La plonger dans l'encre et on commence. Mais la plume prit une grosse gorgée et avant qu'elle eût eu le temps de l'avaler, une grosse goutte bleu de mer du sud s'écrasait sur le désert du papier jaune.

Ah... Elle allait jeter la feuille au panier quand elle remarqua le long d'un chemin qui allait directement de la tache à l'encrier de tout petits points qui lui parurent bouger. Et regardant de plus près, elle reconnut une caravane, fit une dune d'un trait, ajouta quelques chameaux et commença de dessiner des palmiers autour de l'oasis miraculeux. Vers le soir, elle monta des tentes, recouvrit le tout d'une feuille noire qu'elle avait pris soin d'étoiler et, contente de la journée, s'en fut dormir.

Il faisait beau le lendemain, même si c'était l'hiver. Que faire aujourd'hui ? Ah... Oui ! La lettre.

Elle prit donc une feuille blanche... et, selon son secret

tout neuf, y laissa tomber d'une plume avertie une tache noire. Et vit distinctement qui marchaient sur la neige dure de cet hiver à elle, un homme et un enfant. Ils s'approchaient du puits. L'enfant s'appelait Dominique et son père avait l'air fatigué, calant jusqu'à mi-jambe un pas sur trois. Elle leur fit un traîneau, y attela un cheval puis monta avec eux rapportant un seau plein d'eau glacée jusqu'à l'orée de la forêt dessinée à la hâte en bordure de l'hiver. Invitée à souper chez eux, elle alluma la lampe et fit se lever une grosse lune jaune dans une page bleue dont elle recouvrit ce nouveau monde pour la nuit.

Le troisième jour, sur une feuille bleu de mer, la tache d'une île verte attira tout de suite son regard, elle qui flottait déjà sur un bateau minuscule dans le coin sud-sud-est d'une page d'océan. Elle finit par atteindre l'île sur le soir. Le temps de faire un feu, d'y mettre trois poissons à cuire et d'en jeter les restes à un goéland qu'elle prit pour un aigle et la nuit était faite. Elle s'endormit dans un château de sable au chant d'insectes tropicaux.

Le jeudi elle vécut l'été au cœur d'une clairière couverte de pissenlits dont elle fit des bouquets qu'elle mit dans ses cheveux et dont elle mangea les feuilles pour souper. Toute la page était verte et le gros encier rouge du soleil se coucha sur les champs au fond d'un horizon violet de montagnes et de nuit. C'est le matin du vendredi qu'elle écrivit la lettre à Dominique, son ami en hiver.

> Dominique,
> Aujourd'hui je t'écris ta lettre pour te dire que je t'aime. Je pense à toi dans l'été et dans toutes les saisons. Aussi, je me prépare pour mon plus long voyage. J'aimerais bien t'emmener, mais j'ai appris, ces derniers jours, que voyager est un travail qu'on fait tout seul. Si tu y penses, fais un cerf-volant.
> Ton amie pour toujours.

Et le samedi, vers les 9 heures du soir, dans les hauteurs d'une nuit d'encre, une petite fusée s'échappait de la page où montait, bleu pâle, pleine d'hommes et de songes, la tache ronde de la terre.

Le septième jour Éva se reposa.

CHANSONS

Tenir paroles

Jos Monferrand

Le cul sur le bord du cap Diamant
Les pieds dans l'eau du Saint-Laurent
J'ai jasé un petit bout de temps
Avec le grand Jos Monferrand
D'abord on a parlé du vent
De la pluie puis du beau temps
Puis j'ai dit : « Jos dis-moé comment
Que t'es devenu aussi grand
Que t'es devenu un géant »

Le cul sur le bord du cap Diamant
Les pieds dans l'eau du Saint-Laurent
J'ai jasé un petit bout de temps
Avecque l'eau puis le firmament

Là, Jos m'a dit : « Mon petit garçon
Ah ! si t'apprends bien ta leçon
Tu viendras que ça sera pas long
A faire des pas de cent pieds de long »
J'ai dit : « Jos, faut que ça décolle
Parce que je viens de sortir de l'école
Puis que par ici passé vingt ans
T'es gréyé pour perdre ton temps
Ah t'es gréyé pour perdre ton temps »

Le cul sur le bord du cap Diamant
Les pieds dans l'eau du Saint-Laurent
J'ai jasé un petit bout de temps
Avec le grand Jos Monferrand

Si tu veux faire un vrai géant
Va boire à même dans la rivière
Assieds-toi sur les montagnes

Puis lave-toi dans l'océan
Essuie-toi avec le vent
Éclaire-toi avec la lune
Dors les pieds sur le bord de la dune
Puis la tête au bout du champ
Et puis la tête au bout du champ

Le cul sur le bord du cap Diamant
Les pieds dans l'eau du Saint-Laurent
C'est une posture de premier plan
Pour te donner de l'entregent

Puis un beau jour tu sentiras
En dessous de tes pieds tourner la terre
Puis tu comprendras le chinois
Aussi bien que la reine d'Angleterre
Tu sauras fermer ta gueule
T'arrêteras de faire des sparages
Pour écouter les nuages
Mais petit gars tu seras tout seul
Mais mon petit gars tu seras tout seul

Le cul sur le bord du cap Diamant
Les pieds dans l'eau du Saint-Laurent
C'est pas le diable pour faire de l'argent
Mais c'est bien bon pour passer le temps

J'ai jamais vu Jos Monferrand
Mais j'ai suivi sa petite idée
Quand j'ai voulu m'arrêter
J'avais déjà l'âme d'un géant
Je suis remonté sur le cap Diamant
Pour raconter mon histoire
Resté là à la nuit noire
A parler pour l'air du temps
Puis à parler pour l'air du temps

Les pieds sur le bord du cap Diamant
Le cul dans l'eau du Saint-Laurent
Y a rien de pire pour les cancans
Puis pour bien dire c'est fatigant

Autant vous dire la vérité
J'ai pas grandi d'un sacré pouce
En seulement le diable me pousse
Quand je m'arrête de turluter
Je revire un bordi-bordagne
Je mets la ville dans la campagne
Puis Tit-Jean prend son violon
Que la Province trousse son jupon
Que la Province trousse son jupon

Le cul sur le bord du cap Diamant
Les pieds dans l'eau du Saint-Laurent
J'ai jasé un petit bout de temps
Avec le grand Jos Monferrand

1958
Musique : Gilles Vigneault

Avec nos yeux

Avec nos yeux, avec nos mains
Dont nous aurons été humains
Nous nous serons à peine vus
Nous serons-nous touchés ? A peine.
Nous aurons mis tout notre enjeu
A ne pas être malheureux.
La roue ne cesse de tourner
Emportant gestes et regards
Dans un tourbillon d'infortune
Sans nous offrir un lendemain.
Fermés nos yeux, fermées nos mains,
Qui retrouvera les chemins
Par lesquels nous voulions surprendre
Le mot de passe de l'amour ?
Nous aurons vécu sur la terre
Sans rien tenter d'un jour à l'autre
Pour apprivoiser le mystère ;
Nous serons passés au soleil
Sans jamais remarquer notre ombre
Et, les yeux secs et les mains blanches,
Nous sortirons de ce sommeil
Sans l'avoir comparé à l'Autre.

1958
Musique : Claude Léveillée

Jean-du-Sud

Quand Jean-du-Sud s'était mis dans la tête
D'aller chasser sur l'île Anticosti,
Le swell dans le large annonçait une tempête
Mais Jean-du-Sud était déjà parti
Appareille...
Mets deux ris dans la voile
On marchera sur les étoiles
De mer !

Quand Jean-du-Sud est venu se mouiller dans le large,
Tout le monde savait qu'il n'avait pas de poisson
Qui pouvait faire autant caler sa barge,
Les femmes disaient qu'il avait de la boisson.
Dans la baie...
Y a du rhum de la Jamaïque
Des gallons puis des barriques...
De vin !

Quand Jean-du-Sud se mêlait de faire la pêche
Il s'en allait sur les bancs de Musquaro,
Avait-il le goût de manger de la morue fraîche :
Chargeait toujours jusqu'au dernier carreau.
La voile rouge
S'en vient sur sa misaine
Est ici pour une dizaine...
De jours !

Quand Jean-du-Sud disait : « La mer est grande ! »
Dans ses yeux bleus y avait comme un matin
Parce qu'il faisait aussi la contrebande
Des illusions de paradis lointains.
Capitaine
Méfie-toi des mirages
Des bateaux sur les nuages
Dans le ciel !

Quand Jean-du-Sud nous contait ses voyages,
On avait l'impression d'être ses matelots,
Il nous parlait en regardant les nuages
Qui dessinaient des îles nouvelles dans l'eau.
Serre l'écoute...
Sur les hauts-fonds ça casse...
Du nord.

Était tout seul à bord de son mât d'hune
(c'était comme ça qu'on appelait son voilier).
Il n'était pas rendu l'autre bord de la dune
Puis on le pensait à l'Anse-aux-Madriers.
Capitaine...
A la voile et aux cordages
Il était son équipage
Tout seul !

Quand Jean-du-Sud a trouvé sa tempête,
On a trouvé son mât puis son beaupré
Hurlait le vent et braillaient les mouettes
Dans la petite anse où ce qu'il aimait s'ancrer.
Jean-du-Sud...
Drapé dans sa grand'voile
Marche enfin sur les étoiles...
De mer.

Paraît qu'il est redevenu capitaine
Sur une goélette qui se promène sur le fond de l'eau...
La houle du sud, c'est son manteau qui traîne.
La brume de l'est, la fumée de son brûlot.
Jean-du-Sud...
A la voile et aux amarres
Désormais reste à la barre...
Du jour !

1959
Musique : Gilles Vigneault

Jos Hébert

Avec ses chiens de Kaska,
Son fouet, ses raquettes longues,
Ses sacs de malle, sa drague
Et puis son grand cométique
Ferré, foncé, lacé,
Pour les tempêtes d'hiver...
Hoc la la la la Hoc la la
Qui ce que c'est qui s'en va
Porter des lettres d'amour
Des gars du Havre-Saint-Pierre
Aux filles de Blanc-Sablon
Sur les chemins verglacés
C'est Jos ! C'est Jos Hébert !

Jos parle à ses chiens comme on parle au monde
Puis ses chiens le comprennent... Si bien qu'on a vu
Ses chiens refaire tout seuls cinq milles à la ronde
Pour trouver un sac qu'ils avaient perdu.
Quand ses chiens filent pas, Jos Hébert s'en doute
Il sort sa bouteille de petit caribou
Il leur paye la traite puis s'en verse une goutte
Il chante un petit air puis envoye Pitou...
Hoc la la la la Hoc la la

Apparence de neige, Jos Hébert attelle
Il connaît le chemin sur le bout de ses souliers
Il vient d'arriver, il repart de plus belle
Faut aller coucher à Pointe-au-Maurier.
Quand la poudrerie le prend sur la route
Il rassemble ses chiens puis se couche au milieu
Le lendemain matin il défonce la croûte
Tout comme ses douze chiens qui sont matineux
Hoc la la la la Hoc la la

Mon père m'a conté que Jos montait en ville
Puis toutes les belles femmes tombaient dans ses bras
Paraît qu'il se promenait en automobile
Qu'il gagnait aux cartes puis chantait de l'opéra
Il parlait trois langues, puis en belles manières,
Prenait des liqueurs, était fort galant
Mais il s'ennuyait de manger de la misère
En lampant le gin puis le petit whisky blanc
Hoc la la la la Hoc la la

A ceux qui demandaient : « Ce que tu t'en vas de même »
Il disait toujours : « On est deux là-dedans
Jos s'en va toujours où ce qu'Hébert le mène
Puis Hébert s'en va sur ses cinquante ans »
Même à l'heure qu'il est, on reconnaît sa trace,
Jos Hébert descend tout le long de la Côte Nord
On trouve les grands trous qu'il fait dans la glace
Pour prendre son petit coup puis voir si ça mord
Hoc la la la la Hoc la la

1959
Musique : Gilles Vigneault

La danse à Saint-Dilon

Samedi soir à Saint-Dilon
Y avait pas grand-chose à faire
On a dit : « On fait une danse,
On va danser chez Bibi »
On s'est trouvé un violon
Un salon, des partenaires
Puis là la soirée commence,
C'était vers sept heures et demie

Entrez mesdames, entrez messieurs, Marianne a sa belle robe et puis Rolande a ses yeux bleus Yvonne a mis ses souliers blancs, son décolleté puis ses beaux gants, ça aime à faire les choses en grand, ça vient d'arriver du couvent. Y a aussi Jean-Marie, mon cousin puis mon ami qu'a mis sa belle habit avec ses petits souliers vernis. Le voilà mis comme on dit comme un commis-voyageur.

Quand on danse à Saint-Dilon
C'est pas pour des embrassages
C'est au reel puis ça va vite
Il faut pas passer des pas
Il faut bien suivre le violon
Si vous voulez pas être sage
Aussi bien partir tout de suite
Y a ni temps ni place pour ça

Tout le monde balance et puis tout le monde danse. Jeanne danse avec Antoine et puis Jeannette avec Raymond. Tit-Paul vient d'arriver avec Thérèse à ses côtés, ça va passer la soirée à faire semblant de s'amuser mais ça s'ennuie de Jean-Louis, son amour et son ami, qui est parti gagner sa vie, l'autre bord de l'île Anticosti, est parti un beau samedi comme un maudit malfaiteur.

Ont dansé toute la soirée
Le Brandy puis la Plongeuse
Et le Corbeau dans la cage
Et puis nous voilà passé minuit
C'est Charlie qui a tout câlé
A perdu son amoureuse
Il s'est fait mettre en pacage
Par moins fin mais plus beau que lui

Un dernier tour, la chaîne des dames avant de partir, a' m'a serré la main plus fort, a' m'a regardé, j'ai perdu le pas. Dimanche au soir, après les Vêpres, j'irai-t'i' bien j'irai t'i' pas ? Un petit salut, passez tout droit, j'avais jamais viré comme ça ! Me voilà tout étourdie, mon amour et mon ami ! C'est ici qu'il s'est mis à la tourner comme une toupie. Elle a compris puis elle a dit : Les mardis puis les jeudis, ça ferait-t'i' ton bonheur ?

Quand un petit gars de Saint-Dilon
Prend sa course après une fille
Il la fait virer si vite
Qu'elle ne peut plus s'arrêter
Pour un petit air de violon
A' vendrait toute sa famille
A penser que samedi en huit
Il peut peut-être la r'inviter

Puis là ôte ta capine puis swing la mandoline
et puis ôte ton jupon puis swing la Madelon,
Swing-la fort et puis tords-y le corps
puis fais-y voir que t'es pas mort !

Domino ! Les femmes ont chaud !

1959
Musique : Gilles Vigneault

Jack Monoloy

Jack Monoloy aimait une Blanche
Jack Monoloy était indien
Il la voyait tous les dimanches
Mais les parents n'en savaient rien
Tous les bouleaux de la rivière Mingan
Tous les bouleaux s'en rappellent
La Mariouche elle était belle
Jack Monoloy était fringant
Jack Jack Jack Jack Jack
Disaient les canards les perdrix
Et les sarcelles
Monoloy disait le vent
La Mariouche est pour un Blanc

Avait écrit au couteau de chasse
Le nom de sa belle sur les bouleaux
Un jour on a suivi leur trace
On les a vus au bord de l'eau
Tous les bouleaux de la rivière Mingan
Tous les bouleaux s'en rappellent
La Mariouche elle était belle
Jack Monoloy était fringant
Jack Jack Jack Jack Jack
Disaient les canards les perdrix
Et les sarcelles
Monoloy disait le vent
La Mariouche est pour un Blanc

Jack Monoloy est à sa peine
La Mariouche est au couvent
Et la rivière coule à peine
Un peu plus lentement qu'avant
Tous les bouleaux de la rivière Mingan

Tous les bouleaux s'en rappellent
La Mariouche elle était belle
Jack Monoloy était fringant
Jack Jack Jack Jack Jack
Disaient les canards les perdrix
Et les sarcelles
Monoloy disait le vent
La Mariouche est pour un Blanc

Jack Monoloy Dieu ait son âme
En plein soleil dimanche matin
En canot blanc du haut de la dam
Il a sauté dans son destin
Tous les bouleaux de la rivière Mingan
Tous les bouleaux s'en rappellent
La Mariouche elle était belle
Jack Monoloy était fringant
Jack Jack Jack Jack Jack
Disaient les canards les perdrix
Et les sarcelles
Monoloy disait le vent
La Mariouche est pour un Blanc

La Mariouche est au village
Jack Monoloy est sur le fond de l'eau
A voir flotter tous les nuages
Et les canots et les billots
Tous les bouleaux de la rivière Mingan
Tous les bouleaux ont mémoire
Et leur écorce est toute noire
Depuis que Monoloy a sacré le camp
Jack Jack Jack Jack Jack
Disaient les canards les perdrix
Et les sarcelles
Monoloy disait le vent
La Mariouche est pour un Blanc

1961
Musique : Gilles Vigneault

Zidor le Prospecteur

Du plomb dans la tête
De l'argent plein ses poches
Du fer sur les bottes
Et de l'or sur les dents
Le v'là qui s'arrête
Le v'là qui s'approche
« Si vous faites un pot'
J'mets cent piastres dedans »

Zidor le Prospecteur la destinée la rose au bois
S'endort en cœur à cœur avec la terre et c'est pourquoi
Il repart avec sa pelle puis son idée en cas des fois
Quelque part une veine l'appelle
Puis devinez une veine de quoi

A trouvé du cuivre
L'autre bord des mélèzes
Là où ce que les cartes
Sont pas faites encor
Trouvé pour le suivre
Compagnie anglaise
Et perdu aux cartes
Son cuivre et son or

Cœur d'or estomac de fer, la destinée le vent de suroît
Vie de bum et verre de rhum la matinée la gueule de [bois
Gant de fer et main de velours la dulcinée la bague au [doigt
L'envers des belles amours est terminée la run du bois

De l'argent sur les tempes
Du plomb plein les bottes

L'or dans la caboche
Et rien sous la dent
Le v'là qui r'décampe
Qui remet sa calotte
Va chercher des roches
Pour leur voir dedans

Dent d'or diamant dans l'œil la dulcinée la bague au [doigt
Il dort sous son lit de feuilles la destinée la rose au bois
Zidor pas trouvé d'or puis une journée de vent de noroît
Est mort j'ai trouvé le corps dur comme du fer après les [Rois

1961
Musique : Gilles Vigneault

Quand vous mourrez de nos amours

Quand vous mourrez de nos amours
J'irai planter dans le jardin
Fleur à fleurir de beau matin
Moitié métal moitié papier
Pour me blesser un peu le pied
Mourez de mort très douce
Qu'une fleur pousse

Quand vous mourrez de nos amours
J'en ferai sur l'air de ce temps
Chanson chanteuse pour sept ans
Vous l'entendrez, vous l'apprendrez
Et vos lèvres m'en sauront gré
Mourez de mort très lasse
Que je la fasse

Quand vous mourrez de nos amours
J'en ferai deux livres si beaux
Qu'ils vous serviront de tombeau
Et m'y coucherai à mon tour
Car je mourrai le même jour
Mourez de mort très tendre
A les attendre

Quand vous mourrez de nos amours
J'irai me pendre avec la clef
Au crochet des bonheurs bâclés
Et les chemins par nous conquis
Nul ne saura jamais par qui
Mourez de mort exquise
Que je les dise

Quand vous mourrez de nos amours
Si trop peu vous reste de moi
Ne me demandez pas pourquoi
Dans les mensonges qui suivraient
Nous ne serions ni beaux ni vrais
Mourez de mort très vive
Que je vous suive

29 mars 1961
Musique : Gilles Vigneault

Fer et titane

Fer et titane
Sous les savanes
Du nickel et du cuivre
Et tout ce qui doit suivre
Capital et métal
Les milliards et les parts
Nous avons la jeunesse
Et les bras pour bâtir
Nous avons le temps presse
Un travail à finir
Nous avons la promesse
Du plus brillant avenir

Vingt bateaux de cent mille tonnes
Qui arrivent qui sont partis
Débarqué vingt mille hommes
Sur dix quais qu'on a bâtis
Des machines et des outils
Qui viennent de tous les pays
Cinq rivières détournées
Les barrages sont commencés
Les chemins de fer de trois cents milles
De Knob Lake jusqu'aux Sept-Iles
Corroyeurs et hauts fourneaux
Dynamite et dynamos
Faut creuser couper casser
Faut miner tracer passer

Fer et titane
Sous les savanes
Du nickel et du cuivre
Et tout ce qui doit suivre
Capital et métal

Les milliards et les parts
Nous avons la jeunesse
Et les bras pour bâtir
Nous avons le temps presse
Un travail à finir
Nous avons la promesse
Du plus brillant avenir

Pas le temps de sauver les sapins
Les tracteurs vont passer demain
Des animaux vont périr
On n'a plus le temps de s'attendrir
L'avion le train l'auto
Les collèges les hôpitaux
Et de nouvelles maisons
Le progrès seul a raison
A la place d'un village
Une ville et sa banlieue
Dix religions vingt langages
Les petits vieux silencieux
Puis regarde-moi bien dans les yeux
Tout ce monde à rendre heureux

Fer et titane
Sous les savanes
Du nickel et du cuivre
Et tout ce qui doit suivre
Capital et métal
Les milliards et les parts
Nous avons la jeunesse
Et les bras pour bâtir
Nous avons le temps presse
Un travail à finir
Nous avons la promesse
Du plus brillant avenir

1961
Musique : Gilles Vigneault

Tam ti delam

Tam ti delam tam ti dela dité dela di
Tam ti delam tam ti dela ditam.

Si on voulait danser sur ma musique
On finirait par y trouver des pas

J'ai fait cinq cents milles
Par les airs et par les eaux
Pour vous dire que le monde
A commencé par une sorte de tam ti delam...

Si on voulait danser sur mes paroles
On finirait par y trouver des pas

Arrivé en ville
J'ai voulu dire à chacun
Ce que j'avais dans mon sac
Mais c'était ma tête pleine de tam ti delam...

Moi j'ai voulu danser sur ma musique
Mais on m'a dit : Ton pas n'est pas d'ici

Quand j'étais dans l'île
Sous le vent des vérités
Je ne savais point la ville
Où j'ai compris l'importance de tam ti delam...

Si on voulait danser sur ma musique
On finirait par y trouver mon cœur

Quand mon sac de reels
Sera vidé... je serai
Un påreil à vos pareils
Mais je perdrai souvenance de tam ti delam...

Si on voulait danser sur mes paroles
On trouverait ma source et mon tambour

Mais je suis tranquille
Je connais la source même
Où battait le cœur de l'homme
Sur des pas qui sonnaient comme tam ti delam...

Si on voulait danser sur ma musique
On finirait par y trouver du cœur
Y aura toujours un pas sur ma musique
Car c'est mon cœur qui danse à l'air du jour

Si vous voulez danser sur ma musique
Il vous suffit d'en écouter les mots
Qui sont
    Tam ti delam tam ti dela dité dela di
    Tam ti delam tam ti dela ditam.

1961
Musique : Gilles Vigneault

J'ai pour toi un lac

J'ai pour toi un lac quelque part au monde
Un beau lac tout bleu
Comme un œil ouvert sur la nuit profonde
Un cristal frileux
Qui tremble à ton nom comme tremble feuille
A brise d'automne et chanson d'hiver
S'y mire le temps, s'y meurent s'y cueillent
Mes jours à l'endroit mes nuits à l'envers

J'ai pour toi très loin une promenade
Sur un sable doux
Des milliers de pas sans bruit, sans parade,
Vers on ne sait où
Et les doigts du vent des saisons entières
Y sont dessinés comme sur nos fronts
Les vagues du jour fendues des croisières
Des beaux naufragés que nous y ferons

J'ai pour toi défait mais refait sans cesse
Les mille châteaux
D'un nuage aimé qui pour ma princesse
Se ferait bateau
Se ferait pommier se ferait couronne
Se ferait panier plein de fruits vermeils
Et moi je serai celui qui te donne
La terre et la lune avec le soleil

J'ai pour toi l'amour quelque part au monde
Ne le laisse pas se perdre à la ronde

1961
Musique : Gilles Vigneault

La plus courte chanson

Dormir auprès de ma belle
Serait dormir amour
Marcher si c'est avec elle
J'y marcherais mes jours
Mais vivre au loin de ma mie
Il m'est plus doux de mourir
N'aurai mieux fait de ma vie
Que d'auprès d'elle dormir

1961
Musique : Gilles Vigneault

Si les bateaux

Si les bateaux que nous avons bâtis
Prennent la mer avant que je revienne
Cargue ta voile, aussi la mienne
Fais comme si... fais comme si
Nous en étions toujours les capitaines
Nous en étions toujours les capitaines

Profond comme au large de l'île
Doux comme une aile d'istorlet
Loin comme l'Angleterre
Je t'aimerai
Je t'aimerai

Si les trésors dont nous avions la clé
Le plan la carte et la belle aventure
N'étaient que rêve et qu'imposture
Évoque-les... évoque-les
Par des drapeaux de plus dans les mâtures
Par des drapeaux de plus dans les mâtures

Profond comme au large de l'île
Doux comme une aile d'istorlet
Loin comme l'Angleterre
Je t'aimerai
Je t'aimerai

Si je me fais facteur ou jardinier
Ne me viens plus parler de contrebande
Mais si tu veux que je me pende
Au grand hunier... au grand hunier
Raconte-moi que tu as vu l'Irlande
Raconte-moi que tu as vu l'Irlande

Profond comme au large de l'île
Doux comme une aile d'istorlet
Loin comme l'Angleterre
Je t'aimerai
Je t'aimerai

1962
Musique : Gilles Vigneault

Bébé-la-Guitare

Bébé-la-Guitare était pêcheur de son métier
Bébé-la-Guitare bûchait aussi moitié moitié
Mais quand 'y avait une soirée de danse
Bébé sortait sa bleu-marin
Il était prêt deux heures d'avance
Mais il faisait semblant de rien
Il aimait se faire prier demander puis tourmenter
Pour finir par accepter puis quand c'était décidé
Était là dans le temps de le dire
Frais rasé brossé peigné
Il sortait son beau sourire
Puis commençait de s'accorder
Hé Hé Hé Bébé-la-Guitare

Bébé-la-Guitare avec des airs de professeur
Bébé-la-Guitare gardait le pas pour vingt-quatre danseurs
Ses doigts cornés pinçaient les cordes
Lui, grand sourire, les yeux dans l'eau
Les joueurs criaient miséricorde
Les danseurs disaient Domino
Il aimait les faire danser promener chaîner tourner
Sa blonde 'i passait sous le nez a' dansait avec Johnny
Bébé disait : « Ça commence »
Le violon était ruiné
Il finissait toutes les danses
Avec l'air de s'exercer
Hé Hé Hé Bébé-la-Guitare

Bébé-la-Guitare disait souvent : « Si j'y allais pas
Avec ma guitare je sais pas comment ils tiendraient le [pas »
Puis un beau soir a su que la salle
Était louée pour la soirée

Sort sa guitare puis il s'installe
« J'attends qu'ils viennent me chercher »
Il attend, prend son temps, « Qu'est-ce qu'ils font qu'ils
[retardent autant
Il est de bonne heure mais pourtant
Ils vont venir. Ah ! je les attends »
Attendu jusqu'à neuf heures
Attendu minuit passé
Attendu jusqu'à deux heures
Tu ferais mieux d'aller te coucher
Hé Hé Hé Bébé-la-Guitare

Bébé-la-Guitare a bien appris le lendemain
Que sans sa guitare ç'avait dansé jusqu'au matin
Paraît qu'un grand joueur de guitare
Un étranger venu pour deux mois
Avait fait des accords bien rares
Et qu'il faisait pas le même deux fois
Sans guitare... sans dire un mot... Bébé a pris son
[chapeau
Son billet puis son bateau : « Vous me reverrez pas de
[sitôt »
On a retrouvé sa guitare
Dans la salle... tout en morceaux
C'est Midas qui la répare
Pour faire une maison d'oiseau
Oh Oh Oh Bébé-la-Guitare

1962
Musique : Gilles Vigneault

Le doux chagrin

J'ai fait de la peine à ma mie
Elle qui ne m'en a point fait
Qu'il est difficile...

Qu'il est difficile d'aimer
Qu'il est difficile...

Elle qui ne m'en a point fait
Et moi qui tant en méritais
Qu'il est difficile...

Qu'il est difficile d'aimer
Qu'il est difficile...

Et moi qui tant en méritais
Je sais ma mie, vous m'en ferez
Qu'il est difficile...

Qu'il est difficile d'aimer
Qu'il est difficile...

Je sais ma mie vous m'en ferez
Car depuis long de temps je sais
Qu'il est difficile...

Qu'il est difficile d'aimer
Qu'il est difficile...

Car depuis long de temps je sais
Que sans peine il n'est point d'aimer
Qu'il est difficile...

Qu'il est difficile d'aimer
Qu'il est difficile...

Que sans peine il n'est point d'aimer
Et sans amour, pourquoi chanter
Qu'il est difficile...

Qu'il est difficile d'aimer
Qu'il est difficile....

1962
Musique : Gilles Vigneault

Ma jeunesse

Je n'ai pas fait tout mon chemin
Que déjà je tourne la tête
Pour découvrir comment s'est faite
Ma jeunesse et je n'en sais rien
Ma jeunesse et je n'en vois rien

Elle a dû passer poliment
Et pour ne déranger personne
N'a laissé que l'écho qui sonne
Au fond de la tête et qui ment
Au fond de la tête et qui ment

Peut-être sans que je l'aie su
Avons-nous fait la route ensemble
Tout le long de ces jours qui tremblent
D'être passés inaperçus
D'être passés inaperçus

J'ai pourtant cueilli mes saisons
Sans en laisser échapper une
J'ai pourtant payé à la lune
Ma part de rime et de raison
Ma part de rêve et de chanson

Je m'en venais d'après le vent
Afin que tu m'y reconnaisses
Et si j'ai croisé ma jeunesse
L'aurai laissée passer devant
Je l'ai laissée passer devant

13 avril 1962
Musique : Gilles Vigneault

Pendant que...

Pendant que les bateaux
Font l'amour et la guerre
Avec l'eau qui les broie
Pendant que les ruisseaux
Dans les secrets des bois
Deviennent des rivières

Moi Moi je t'aime Moi Moi je t'aime

Pendant que le soleil
Plus haut que les nuages
Fait ses nuits et ses jours
Pendant que ses pareils
Continuent des voyages
Chargés de leurs amours

Moi Moi je t'aime Moi Moi je t'aime

Pendant que les grands vents
Imaginent des ailes
Aux coins secrets de l'air
Pendant qu'un soleil blanc
Aux sables des déserts
Dessine des margelles

Moi Moi je t'aime Moi Moi je t'aime

Pendant que les châteaux
En toutes nos Espagnes
Se font et ne sont plus
Pendant que les chevaux
Aux cavaliers perdus
Traversent des montagnes

Moi Moi je t'aime Moi Moi je t'aime

Pendant qu'un peu de temps
Habite un peu d'espace
En forme de deux cœurs
Pendant que sous l'étang
La mémoire des fleurs
Dort sous son toit de glace

Moi Moi je t'aime Moi Moi je t'aime

1963
Musique : Gilles Vigneault

Avec les vieux mots

Avec les vieux mots
Les anciennes rimes
J'arrive trop tôt
J'arrive trop tard
J'arrive trop tôt
Pour casser la lime
J'arrive trop tard
Pour prendre ma part
Ma part c'était toi
Ma part c'était elle
C'était vous trois fois
Nous quatre et vous deux
Ailleurs c'est à toi
Que je suis fidèle
Je vieillis pour deux
Je m'importe peu

Je guette mes saisons
Du coin de l'œil
Je n'ai pas de maison
C'est mon orgueil

Je refais des jeux
Que j'ai vu refaire
Quand je nomme Dieu
C'est à mon insu
Je fais des adieux
Mais c'est sur la terre
Par vice ou vertu
Rien ne m'a déçu
Loin dans la maison
Une jeune fille
Guette à l'horizon

Mon ombre et mon pas
Mais c'est sans raison
L'âme se gaspille
Paisse le veau gras
Je ne viendrai pas

Vous me croyez maison
Je suis dehors
Vous me voyez saison
C'est un décor

Il fait mil huit cent
Et c'est mon grand-père
On verse le sang
Comme les liqueurs
Tes yeux et tes dents
Diamants et rivières
Arrêtez ce cœur
J'ai peine et j'ai peur
J'ai peur de passer
Sans t'avoir fait naître
J'ai peur d'entasser
Tes noms sur les miens
Peine et peur d'aimer
Devant ta fenêtre
Et je m'en souviens
Tu n'en diras rien

Vous me cherchez maison
Je meurs ailleurs
Je quitte ma maison
A son meilleur

Avant d'inventer
Ma vie éternelle
Je veux m'acheter
Le cri d'un hibou
L'immortalité

Dort dans ta prunelle
Je n'ai plus beaucoup
Le temps ni le goût
Qui sème l'argent
Récolte la bombe
Va voir dans le champ
Si le foin est beau
Mets des fleurs aux gens
Loin avant la tombe
Tes prochains robots
Moins sots et plus beaux

N'était point ma saison
Les jeux sont faits
Tu sauras mes raisons
Si je m'en vais

Comme les vieux mots
Les anciennes rimes

1964
Musique : Gilles Vigneault

Mon pays

Mon pays ce n'est pas un pays c'est l'hiver
Mon jardin ce n'est pas un jardin
                c'est la plaine
Mon chemin ce n'est pas un chemin
                c'est la neige
Mon pays ce n'est pas un pays c'est l'hiver

Dans la blanche cérémonie
Où la neige au vent se marie
Dans ce pays de poudrerie
Mon père a fait bâtir maison
Et je m'en vais être fidèle
A sa manière à son modèle
La chambre d'amis sera telle
Qu'on viendra des autres saisons
Pour se bâtir à côté d'elle

Mon pays ce n'est pas un pays c'est l'hiver
Mon refrain ce n'est pas un refrain
                c'est rafale
Ma maison ce n'est pas ma maison
                c'est froidure
Mon pays ce n'est pas un pays c'est l'hiver

De mon grand pays solitaire
Je crie avant que de me taire
A tous les hommes de la terre
Ma maison c'est votre maison
Entre mes quatre murs de glace
Je mets mon temps et mon espace
A préparer le feu la place
Pour les humains de l'horizon
Et les humains sont de ma race

Mon pays ce n'est pas un pays c'est l'hiver
Mon jardin ce n'est pas un jardin
c'est la plaine
Mon chemin ce n'est pas un chemin
c'est la neige
Mon pays ce n'est pas un pays c'est l'hiver

Mon pays ce n'est pas un pays c'est l'envers
D'un pays qui n'était ni pays ni patrie
Ma chanson ce n'est pas ma chanson
c'est ma vie
C'est pour toi que je veux posséder
mes hivers...

1964
Musique : Gilles Vigneault

La Manikoutai

Ils ont dit que c'était une fille
Moi je dis que c'était la Manikoutai
L'œil en feuille et la dent de coquille
Telle était la Manikoutai

C'était plus haut que la plaine
Il fallait pour aller là
La patience et l'aviron
Connaissance de la chute
Du portage et du courant
Où et comment l'eau culbute
Les oreilles de charrue
Et l'eau morte et les cirés
Les corps morts et les écumes
Veille à gauche et veille à droite
A la pince et au ballant
Sans vouloir te commander
Tiens-toi bien mais laisse aller
Pas grande eau mais c'est assez
Pour te dire qu'à l'eau douce
On finit par dessaler

Et ça c'était pour l'été

Ils diront que c'était une femme
Moi je dis que c'était la Manikoutai
Le dos souple et la danse dans l'âme
Telle était la Manikoutai

Fatiguée de la semaine
En rapide et gros bouillons
Elle faisait son dimanche
En amont du quatrième

Vive encore et paresseuse
Avec du sable en dorure
Et les beaux cailloux tout ronds
A deux pas c'est une source
A trois pas c'est un brûlé
Le foin haut puis les framboises
Les bleuets puis les berris
Et le petit bois d'argent
Prends ton temps prends pas ta course
C'est piquant puis déchirant
Pas si vite assis-toi là
On va compter les cailloux

Ça c'était pour le beau temps...

Ils croyaient que c'était une fée
Moi je dis que c'était la Manikoutai
De feu, d'or et d'automne attifée
Telle était la Manikoutai

Aux premiers jours de gelée
Elle a déjà le gros dos
Les manchons puis les manteaux
Tout en blanc et beau et chaud
Elle a la race et la grâce
Elle est de chasse et de glace
Les renards et les visons
Les rats musqués les castors
Le loup-cervier puis la loutre
Lui font dentelle de traces
Et quand la glace est trop mince
Pour la tenir enfermée
Elle saute la fenêtre
Elle est noire et douce-froide
Et c'est le froid qui la dompte
A la tombée de la nuit

Et c'est le temps de l'hiver...

Ils croiront que c'était une amante
Je dirai que c'était la Manikoutai
Jeune et vieille et muette et parlante
Telle était la Manikoutai

C'était le temps du trappeur
Et le temps des compagnies
On partait le vingt octobre
On revenait vingt janvier
Quand un homme est à la chasse
Sa blonde a des cavaliers
Sont partis le même jour
Mais chacun de son côté
On a trouvé par les traces
Qu'une fois rendus aux pièges
Avaient chassé tous les deux
Jusqu'à ce trou dans la neige
Attention la glace est mince !
Tu la salueras pour moi.
Non. Viens pas ! Tiens-toi, j'arrive !
Les chiens sont revenus seuls...

Ça c'était pour le printemps

Ils ont dit que c'était la Julie
Moi je dis que c'était la Manikoutai
Ils diront qu'avec l'âge on oublie
Telle était la Manikoutai

1965
Musique : Gilles Vigneault

Les gens de mon pays

Les gens de mon pays
Ce sont gens de paroles
Et gens de causerie
Qui parlent pour s'entendre
Et parlent pour parler
Il faut les écouter
C'est parfois vérité
Et c'est parfois mensonge
Mais la plupart du temps
C'est le bonheur qui dit
Comme il faudrait de temps
Pour saisir le bonheur
A travers la misère
Emmaillée au plaisir
Tant d'en rêver tout haut
Que d'en parler à l'aise

Parlant de mon pays
Je vous entends parler
Et j'en ai danse aux pieds
Et musique aux oreilles
Et du loin au plus loin
De ce neigeux désert
Où vous vous entêtez
A jeter des villages
Je vous répéterai
Vos parlers et vos dires
Vos propos et parlures
Jusqu'à perdre mon nom
O voix tant écoutées
Pour qu'il ne reste plus
De moi-même qu'un peu
De votre écho sonore

Je vous entends jaser
Sur les perrons des portes
Et de chaque côté
Des cléons des clôtures
Je vous entends chanter
Dans la demi-saison
Votre trop court été
Et votre hiver si longue
Je vous entends rêver
Dans les soirs de doux temps
Il est question de vents
De vente et de gréments
De labours à finir
D'espoir et de récolte
D'amour et du voisin
Qui va marier sa fille

Voix noires voix durcies
D'écorce et de cordage
Voix des pays plain-chant
Et voix des amoureux
Douces voix attendries
Des amours de village
Voix des beaux airs anciens
Dont on s'ennuie en ville
Piailleries d'écoles
Et palabres et sparages
Magasin général
Et restaurant du coin
Les ponts les quais les gares
Tous vos cris maritimes
Atteignent ma fenêtre
Et m'arrachent l'oreille

Est-ce vous que j'appelle
Ou vous qui m'appelez
Langage de mon père
Et patois dix-septième

Vous me faites voyage
Mal et mélancolie
Vous me faites plaisir
Et sagesse et folie
Il n'est coin de la terre
Où je ne vous entende
Il n'est coin de ma vie
A l'abri de vos bruits
Il n'est chanson de moi
Qui ne soit toute faite
Avec vos mots vos pas
Avec votre musique

Je vous entends rêver
Douce comme rivière
Je vous entends claquer
Comme voile du large
Je vous entends gronder
Comme chute en montagne
Je vous entends rouler
Comme baril de poudre
Je vous entends monter
Comme grain de quatre heures
Je vous entends cogner
Comme mer en falaise
Je vous entends passer
Comme glace en débâcle
Je vous entends demain
Parler de liberté

5 mai 1965
Musique : Gilles Vigneault

Chanson démodée

J'ai trouvé ma mie en haute montagne
La lune était ronde le hibou muet
En haute montagne, je l'y ai laissée
A la nuit tombante j'irai la trouver

Ma mie a les pieds comme biche vive
Sa peau est plus blanche qu'aubier de sapin
Si je l'emmenais courir par la plaine
Comme biche vive s'en irait bien loin

La maison que j'ai n'a pas de toiture
De porte non plus de fenêtre point
J'entre par le haut comme en cheminée
Rentre la fumée quand le temps est doux

A qui j'ai loué, c'est à la chouette
Qui radote un peu mais qui veille à tout
Ma mie est logée, ma mie est à l'aise
Demandez au lièvre, demandez au loup

Ma mie a fleuri dedans une souche
Coupée en hiver, vidée au printemps
Une fois saison, la lune s'y couche
Ce qui donne à l'œil couleur du beau temps

1965
Musique : Gilles Vigneault

Ce que je dis

Je dis que tout est paysage
Qu'on ne voit point dessous le champ
Les racines font des voyages
Qui mêlent la sève et le sang
Si j'ai mal compris le feuillage
Ce n'est point la faute du vent
C'est la faute à quelque mirage
Du côté du soleil levant

Ce que je dis c'est en passant

Je dis que j'ai trahi Rolande
Trahi Nénel trahi Jean-Jean
Trahi jusqu'à la contrebande
Me suis trahi de mon vivant
C'était pour vous être fidèle
Vous dont je rêvais si souvent
Soyez Rolande elle était belle
J'ai parlé peut-être en rêvant

Ce que je dis c'est en passant

Je dis que le chemin à suivre
Est dans le vol des cormorans
Si on avait le temps de vivre
Je laisserais parler le vent
Mais j'ai trois mots que je répète
Pour les avoir appris trop grand
Le peu d'espace que vous êtes
M'a demandé mon peu de temps

Ce que je dis c'est en passant

J'irai dire aux Français de France
Aux Anglais d'Angleterre aussi
Combien vous avez d'espérance
Et que vous restez par ici
A dire ainsi tout ce qui se passe
On finit par passer son temps
Je ne veux pas prendre la place
De l'automne ni du printemps

Ce que je dis c'est en passant

3 janvier 1966
Musique : Gilles Vigneault

Berlu

Berlu s'en va chez le marchand *(bis)*

Pour acheter du pain du beurre
De la farine et du sel fin
De la mélasse et des oranges
Du thé, du sucre et du raisin

Faut pas monter sur les clôtures
C'est bien mauvais pour les piquets
C'est bien mauvais.

Mais pour avoir il faut d'l'argent *(bis)*

J'n'ai pas d'argent j'ai du chômage
Marchand, marchand fais-moi crédit
Ajoute à ça deux bons fromages
Puis un' demi-livre de gros biscuits

Faut pas mouiller sur les battures
C'est bien mauvais pour les filets
C'est bien mauvais.

Berlu, Berlu tu m'paieras quand *(bis)*

Je te paierai dans un' semaine
Qui fait partie de l'an prochain
Ajoute-moi donc cinq, six douzaines
De tes cartouches de quat' cent vingt

Faut pas tirer dans les voilures
C'est bien mauvais pour les agrès
C'est bien mauvais.

Berlu tu me paieras comment *(bis)*

Avec ma chasse avec ma pêche
Que je ferai jusqu'au printemps
Faut d'autant plus que j' me dépêche
Donne-moi mes lignes que j' sacr' mon camp

Faut pas courir dans les mouillures
C'est bien mauvais pour les jarrets
C'est bien mauvais.

Mais si t'as rien qu' du méchant temps *(bis)*

Tu prendras ma maison, ma femme
Et deux ou trois de mes enfants
Avec mes deux grand's pair's de rames
Ça pourrait faire en attendant

Faut pas s' marcher dans la figure
C'est bien mauvais pour le portrait
C'est bien mauvais.

Berlu est parti en riant
Berlu est parti en dansant
J' peux pas vous dir' la fin du conte
Il est r'venu il est r'parti
Plus il en paie plus son compt' monte
Il a du beau temps à crédit

Faut pas payer tout' la facture
C'est bien mauvais pour l'intérêt
C'est bien mauvais.

11 juin 1967
Musique : Gilles Vigneault

Le nord du nord

Il était seul et marchait vers le nord du nord

Théo m'a dit qu'il l'avait vu en revenant de ses collets
Il l'avait aperçu bien loin par sur les plaines
Était tout habillé en gris on aurait dit qu'il s'en allait
Droit au nord de la montagne Bleue, ni chien ni traîne...
Il s'en allait...

S'en allait-il poser des pièges
Pour prendre qui pour prendre quoi
Sans traces de pas sur la neige
Allez lui demander pourquoi

Ce qui te ferait plaisir ici
C'est un p'tit air de ce pays
Qué'qu'chos' comme Tam tideli...

Mais au milieu de la gigue
Je me retrouve dehors
Nuit et froidure et fatigue
Et je m'en vais vers le nord

Il s'en va seul et repart vers le nord du nord
Paulo m'en a conté autant : J'avais tendu pour le castor
J'en avais deux. Mets donc mon sac, prends mes raquettes
A pas trois pas, j'arrive à lui. C'que vous allez ? I' dit :
[au nord.

Minute après disparaissait dans la tempête
Il avait dit...

Je ne sais pas comment on chasse
J'ai peur des pièges qu'on me tend

Je passe sans laisser de trace
L'autre côté du nord m'attend

Ce qui te ferait plaisir ici
C'est un p'tit air de mon pays
Qué'qu'chos' comme Ti deli tetum...

Mais au milieu de la danse
J'entends le vent et je sors
Et c'est la nuit qui s'avance
Et c'est le froid qui me mord

Il marche encore. Il voit déjà le nord du nord

Beau clair de lune et vent coupant le pas léger sur le
[verglas
Avec Tit-Zèbe on sait jamais quand il ajoute
Aurait parlé la nuit avec, avait des pièg's à loups par là
Le gars jasait. Tu peux penser Tit-Zèbe écoute
Le gars disait...

Je m'en vais tout droit sur le pôle
Je fuis le soleil et la mer
J'ai mon pays sur mes épaules
Je l'emmène vivre en hiver

Ce qui nous ferait plaisir ici
C'est un p'tit air de ce pays
Qué'qu'chos' comme Tam tideli...

Mais au milieu de la fête
Où ma jeunesse s'endort
Nuit poudrerie et tempête
Gigue de gel et de mort

Il marche encore. Il est rendu au nord du nord.

L'après-midi qu'il est passé, y avait personne au
[restaurant

Il avait parlé une heure avec la Marie-Ève
Ça fait jaser les alentours, i' 'i a laissé un gros diamant
En demandant de l'oublier. C'est comme un rêve
Il aurait dit...

Je voyage à contre jeunesse
A contre-courant du bonheur
Le lendemain, pendant la messe
La Marie-Ève était en pleurs

Ce qui me ferait plaisir ici
C'est un vieil air de ce pays
Qué'qu'chos' comme La la la la...

Mais les mots de la rengaine
Parlaient de soleil et d'or
Et les chemins qui me mènent
Partent de nuit vers le nord

Il marche encore. A dépassé le nord du nord

Avait aidé le jeune à Frid à débiter un gros sapin
Puis en retour, s'est fait conduire à la cabane
Dans la cabane on a trouvé, côté du sud, comme
[un dessin
La Marie-Ève avec une fleur qui se fane...
Y avait d'écrit...

Quand j'aurai dépassé vos pièges
Les loups mangeront dans ma main
Saison qui vient première neige
Vous retrouverez mes chemins...

17 juin 1967
Musique : Gilles Vigneault

La marche du président

Le président s'en va chassant

Un champ trop grand
Un soleil trop blanc
Trop haut le vent
Trop tôt un enfant
    Qui s'amuse avec son mal de dents
    Joue avec son œil pour voir dedans
    Et croque du sable avec ses yeux
    Devant le ciment silencieux

    Derrière chez nous y a t-un étang

Le président
S'en va tuer le temps
Avec son grand
Vautour d'argent
    Qui voit tout venir du haut du vent
    L'enfant voit venir le président
    Il remet ses yeux dans son ballon
    Fait semblant de trouver le temps long

    Visa le temps tua le vent

Monsieur l'enfant
Ton nom et ton rang
Pour tes sept ans
Te voilà bien grand
    L'enfant voit venir le président
    Qui veut lui voler son cerf-volant

Le vautour s'en va tourner plus haut
Cet enfant leur a tourné le dos

Le mauvais temps est sur l'étang

Monsieur l'enfant
Parlez un instant
Au président
Qui perd son temps
Qui es-tu du haut de tes sept ans
L'enfant dit : Je suis le président
Même si je n'ai pas de vautour
A me suivre et me tourner autour
Le vautour demande c'est pour quand
Pour demain ou bien dans quarante ans
L'enfant dit : Demandez-le au vent
Le vent dit : L'enfant est président
C'est charmant et surtout plein d'humour
Dit le président à son vautour
Ce petit a bien de l'avenir
Mais l'enfant le voit toujours venir
Dites-moi Monsieur l'enfant rêvant
Quels seront vos premiers règlements
L'enfant dit : J'abolirai d'abord
L'extraction de l'argent et de l'or
Et tout l'or et tout l'argent du temps
Serviront à votre monument
Construction de votre régiment
Entouré de fer et de ciment
J'abolirai le gouvernement
Avec le métier de président
Je ferai chanter les réacteurs
En accord avec le malaxeur
Je mettrai sous votre monument
L'arsenal avec les armements
Je ne garderai que les couteaux
Et puis je vous tournerai le dos

Par-dessous l'aile il perd son sang
Le président dit à son vautour
Chacun son tour de perdre son temps
Va faire un tour au bout de mon champ

Un ballon qui crève sur l'étang
Et qui parle avec un cerf-volant
Le soleil se couche l'œil en sang
Et la lune a l'air d'un ballon blanc

Trois dames s'en vont les ramassant.

22 février 1968
Musique : Robert Charlebois

Les robots

Trois par trois en rang
Vont les robots bardés de chair et de sang
Ils ont tous le pas
Un robot ne perd pas le pas il ne peut pas
Ils ont à la main
Comme une bêche
Mais ce n'est pas une bêche
Ils vont leur chemin
Comme au jardin
Mais ils ne vont pas au jardin

... au jardin, le jardinier s'affaire doucement
comme quand on a tout son temps.

Il faut endormir la terre
Il faut cacher le printemps
Juste entre l'arbre et l'écorce
Et le jardinier s'efforce
D'enlever au vent vivant
Une odeur brûlée de l'automne...
Une odeur brûlée de l'automne...

Les robots sont beaux
L'or et l'argent ont la couleur de leur peau
Pas de déserteur
Un robot ne sait pas la couleur de la peur
Ils suivent de loin
Comme un navire
Mais ce n'est pas un navire
N'en ont pas besoin
Comme la mer
Mais ils ne vont pas sur la mer

… sur la mer, un vieux pêcheur s'allume doucement
comme quand on a tout son temps.

Il faut cajoler la brume
De la voile et de l'avant
Fendre le poisson la lame
Donner du corps et de l'âme
Et laisser parler l'Enfant
Neige peut neiger sur l'eau grise…

Vingt par vingt en sang
Vont les robots bardés de fer et d'argent
Ils ont tous le pas
Un robot ne perd pas le pas il ne peut pas
Ils ont dans les yeux
Comme une larme
Mais ce n'est pas une larme
C'est un cristal creux
Et c'est une arme qui rendrait un homme heureux

… le bonheur est sur la mer lointaine tendrement
comme quand on a tout le temps.

C'est dans une île incertaine un jardin qui doit fleurir
Il faut émonder le monde
Et pêcher en eau profonde et s'empêcher de mourir
L'Homme est bien la Pomme de l'Homme

1970
Musique : Gilles Vigneault

La tite toune

Il pleut sur des jouets rouillés
L'intérieur des enfants brûle
Le néon fait des majuscules
En trois couleurs pour bafouiller

Le ciel est un grand dépotoir
D'où tombe un parfum de latrine
Les mannequins de la vitrine
Se font l'amour sans désespoir

L'Ordinateur occidental
Chante les facteurs qui lui manquent
L'Or dort dans l'estomac des banques
La Guerre bâtit l'hôpital

Un touriste au béret vert sang
Mange des gâteaux en Espagne
Et sa Lune qui l'accompagne
S'exerce à vendre des croissants

Soyez sensible au goût du temps
Et possédez votre androïde
Faite plus belle et plus solide
Et retrouvez vos soixante ans

Le cœur de l'homme a du retard
Déjà la Mécanique pleure
Un coucou qui m'a donné l'Heure
Sonne encor le quart du dollar

Un doux et pâle adolescent
Dans sa fumée asiatique

Pose une pomme de plastique
Au bout d'un bonze incandescent

La Faim donne des réceptions
La Soif dispose de la pluie
Et de poubelles qu'on oublie
FUSENT des PAINS et des poissons

1970
Musique : Gilles Vigneault

Le temps qu'il fait sur mon pays

Le temps qu'il fait sur mon pays
Je veux le dire. Me faut le dire
Le temps qu'il fait sur mon pays
Il faut le dire à mes amis

Dans les recoins de ce pays
Quatre maisons font un village
On y vit un siècle sans âge
C'est loin d'ailleurs et loin d'ici
En ce village que je dis
On ne dit pas : le vent, la neige…
On dit Fanfan et pour la neige
C'est Marie-Ange que l'on dit
Et le soleil se dit Gaillard
Et Dameline : c'est la pluie
Allez demander à la pie
Allez demander au renard

Le temps qu'il fait sur mon pays
Je veux le dire. Me faut le dire
Le temps qu'il fait sur mon pays
Il faut le dire à mes amis

Gaillard était en haut du mât
Martin-pêcheur en eau profonde
Un œil dans l'eau, l'autre à la ronde
Il voit s'en venir de là-bas
Une demoiselle d'ailleurs
Tout attifée en mousseline
Qui descend ainsi des collines
C'est Dameline tout en pleurs
Gaillard ne fait ni un ni deux
Descend du mât et plonge et nage

Dameline est dans le village
Déjà Gaillard est amoureux

Soleil qui luit sur mon pays
Je veux le dire. Me faut le dire
Soleil qu'il fait sur mon pays
Me faut le dire à mes amis

Me voici pour sécher vos pleurs
Dit le Gaillard à Dameline
Et les voici sur la colline
Et la colline tout en fleurs
Fanfan qui passait par là-haut
Plus haut que la plus haute branche
Les a surpris dans leur dimanche
Et s'en retourne sans un mot
Et voici tout le ciel couvert
Il vente il pleut il tonne il rage
Il passe des bancs de nuages
Menés par une voix de fer

Le vent qui va sur mon pays
Je veux le dire. Me faut le dire
Le vent qui chante mon pays
Je veux le dire à mes amis

C'est ainsi que fut inventé
L'hiver d'août de ce village
C'est une semaine d'orage
Et de froidure en plein été
Malin le voyageur Fanfan
Ramène parfois Marie-Ange
Ou c'est que Dameline change
Cape grise pour manteau blanc
Fanfan passe l'hiver au bois
A faire fête et poudrerie
Gaillard attend le temps des pluies
Et dit que le trois fait le mois

La pluie qui pleut sur mon pays
Je veux la dire. Il faut la dire
La pluie qui pleut sur mon pays
Je veux la dire à des amis

En ce village que je dis
Rien ne se dit qu'en paraboles
Et la plus simple des paroles
Est pleine d'oiseaux et de nids
Voilà pourquoi j'ai appelé
Soleil et vent et neige et pluie
Des personnages qui s'enfuient
Quand je commence d'en parler

Si vous passez là par hasard
Et me jugez de menterie
Demandez à mère Amélie
Demandez au vieux Balthazar

Cela se passe quelque part
Dedans les îles de la vie
Allez demander à la pie
Allez demander au renard...

Le temps qu'il fait sur mon pays
J'irai le dire. Il faut le dire
Le temps qu'il fait sur ton pays
J'irai le dire à des amis

8 août 1970
Musique : Gilles Vigneault

Un enfant

Un enfant promène sur la Ville
Ses ailes
Fragiles
Un enfant veut trouver dans ta Ville
De l'Herbe, de l'Air et de l'Eau

Il veut mettre les trottoirs en marche
Les trottoirs et tous les escaliers
Il reste des pas dans tes souliers
Il veut inventer
la Nouvelle Arche
D'Alliance
De l'Intelligence
Et de l'Instinct
Vienne ce matin…
Vienne ce matin de mai
Et la Parfaite Procession
Sans drapeau sans hymne sans roi
Avec le Loup et le Dauphin
Et l'Aigle et l'Homme
Sous les arbres refoliés
Sous le silence harmonieux
Des Naissances
Des Connaissances
Et des Reconnaissances du temps trouvé

Un enfant apporte dans ta Ville
Ses ailes
Ses Iles
Un enfant vient chercher dans ta Ville
De l'Ame de l'Air et de l'Eau

Un enfant de neuf ans qui m'écoute
Un enfant de neuf ans qui m'entend
Ce savant de neuf ans que j'attends
Ce savant que les savants redoutent
Mettra l'Homme
En tête de l'Homme
Il nous attend
Au-devant du vent
Vienne cet enfant du vent
Qui saura dévisser la Peur
Et nous désossera la Mort
Ayant d'abord désamorcé
Cette planète
De Femme et de Terre alliées
Le voici cherchant dans nos yeux
Sa Naissance
Sa Connaissance
Et la Reconnaissance du temps perdu...

Un enfant veut inventer la Ville
Nouvelle
Tranquille
Un enfant vient d'enfanter la Ville
De l'Homme de l'Air et de l'Eau

16 avril 1971
Musique : Gilles Vigneault
et Gaston Rochon

Je chante pour...

Je chante pour ne pas courir
Je chante pour ne pas mourir

Pour oublier que mon chemin
Ne va pas plus loin que ma main
Pour oublier que l'escalier
N'est pas plus haut que mon soulier
Et que le mur vient de lui-même
A ma rencontre et... que je t'aime
    Pour en prier

Je chante pour ne pas courir
Je chante pour ne pas mourir

Pour oublier le corridor
Au bout de quoi le cœur s'endort
Pour oublier qu'on n'y peut pas
Reculer son ombre d'un pas
On s'arrête, on se tourne, on cause
On fait semblant qu'on se repose
    Le cœur qui bat

Je chante pour ne pas courir
Je chante pour ne pas mourir

Pour me raconter que ma peur
Ne trompe pas mon corps trompeur
Pour lui repeindre un peu le bout
Des doigts qu'elle a nombreux et doux
Pour que... je ne sais quoi, demeure
Semblant de nous... pour mettre une heure
    Le temps debout

Je chante pour ne pas courir
Je chante pour ne pas mourir

Pour dire à qui sera vivant
Que dans son corps d'auparavant
J'aimais la neige et le ciel gris
Qui ressemble à du temps surpris
Hors de lui-même et de l'horloge
Pour dire aux âmes que je loge
    J'avais compris

Je chante pour ne pas courir
Je chante pour ne pas mourir

Et pour nommer trois inconnus
Qui sans le savoir ont tenu
Le livre de bord des humains
En travaillant de leurs deux mains
Chanter la Femme et nommer l'Homme
Le meilleur côté de la Pomme
    Est pour demain

Je chante... pour me départir...
De moi-même... avant que partir.

1971
Musique : Gilles Vigneault

Il me reste un pays

Il me reste un pays à te dire
Il me reste un pays à nommer

Il est au tréfonds de toi
N'a ni président ni roi
Il ressemble au pays même
Que je cherche au cœur de moi
Voilà le pays que j'aime

Il me reste un pays à prédire
Il me reste un pays à semer

Vaste et beau comme la mer
Avant d'être découvert
Puis ne tient pas plus de place
Qu'un brin d'herbe sous l'hiver
Voilà mon Jeu et ma Chasse

Il te reste un pays à connaître
Il te reste un pays à donner

C'est ce pont que je construis
De ma nuit jusqu'à ta nuit
Pour traverser la rivière
Froide obscure de l'Ennui
Voilà le pays à faire

Il me reste un nuage à poursuivre
Il me reste une vague à dompter

Homme ! Un jour tu sonneras
Cloches de ce pays-là
Sonnez femmes joies et cuivres
C'est notre premier repas
Voilà le pays à vivre

Il nous reste un pays à surprendre
Il nous reste un pays à manger

Tous ces pays rassemblés
Feront l'Homme champ de blé
Chacun sème sa seconde
Sous l'Amour qu'il faut peler
Voilà le pays du monde

Il nous reste un pays à comprendre
Il nous reste un pays à changer

1973
Musique : Gilles Vigneault
et Gaston Rochon

Gros-Pierre

Quand elle est partie en ville
La trop belle Laurelou
Quand elle est partie en ville
Gros-Pierre est resté chez nous

Ti de li dam tidelam didelou
Ti de li dam tidelam dame lit doux

S'en est passé des semaines
Du mauvais temps du temps doux
S'en est passé des semaines
A perdre le goût de tout

Il a reçu une lettre
C'est la belle Laurelou
Il a reçu une lettre
Qui n'en disait pas beaucoup

Il l'a dit à Charles-Émile
Il passait ses nuits debout
Gros-Pierre est parti en ville
Un soir entre chien et loup

Quand il eut marché des milles
Quand il eut cherché partout
Quand il eut payé la ville
Est revenu sans le sou

C'est pour quand tes fiançailles ?
C'est-i' en ville ou chez nous ?
Quand tout le village raille...
Gros-Pierre attend Laurelou

Grande visite au village
C'est la belle Laurelou
Qui traverse le village
Au bras d'un amant jaloux

Ils ont retrouvé Gros-Pierre
Dans le chemin des Cailloux
Ont récité les prières
N'attendra plus Laurelou

Ti de li dam tidelam didelou
Ti de li dam tidelam dame lit doux

Elle est repartie en ville
Et n'en a rien su du tout
S'en est repartie en ville
On n'en parle plus chez nous

Est morte… seule un novembre
Adieu Belle Laurelou
On a trouvé dans sa chambre
Une lettre et des bijoux

Tout était pour le Gros-Pierre
« Mille fois pardon pour tout »
Et c'est la sœur à Gros-Pierre
Qui portera les bijoux

Hier… elle est partie en ville
Un… collier de perles au cou
Hier elle est partie en ville
On aurait dit… LAURELOU !

Ti de li dam tidelam didelou
Ti de li dam tidelam dame lit doux

1973
Musique : Gilles Vigneault
et Gaston Rochon

Parlez-moi

J'arrive à toi de partout
C'est de ta peau qu'il fait doux
C'est de ton souffle qu'il vente
Ta parole me construit
Ton silence me nourrit
Tout ce que tu dis m'invente

> Lèvres de chaque seconde
> Vous qui refaites le monde
> A nommer vos alentours
> Parlez-moi, parlez-moi *(bis)*
> Parlez-moi d'un peu d'amour

J'ai l'âge du mot saison
J'habite le mot maison
Je vieillis du mot semaine
Passager du mot : chemin
Le mot mort me tue demain
Les mots chaîne et fer m'enchaînent

> Lèvres de chaque seconde
> Vous qui refaites le monde
> A nommer vos alentours
> Parlez-moi, parlez-moi *(bis)*
> Parlez-moi d'un peu d'amour

Moi qui suis parti d'hier
Pour n'arriver qu'en hiver
Au pays de mes enfances
J'avais d'écrit dans la main
Les mots femme fleur et vin
Ce langage mène en France

Lèvres de chaque seconde
Vous qui refaites le monde
A nommer vos alentours
Parlez-moi, parlez-moi *(bis)*
Parlez-moi d'un peu d'amour

M'épivarder m'ébarlouir
Avoir souleur, m'aplangir
Puis m'asseoir à la brunante
Palabrer sur le suroît
Étaler par tous les froids
M'ont fait une âme hivernante

Lèvres de chaque seconde
Vous qui refaites le monde
A nommer vos alentours
Parlez-moi, parlez-moi *(bis)*
Parlez-moi d'un peu d'amour

Langage mon doux pays
Toi qui fais mes aujourd'hui
Ne ressembler qu'à moi-même
C'est chez toi que je sais mieux
Donner mon feu et mon lieu
Et dire à chacun je t'aime.

1973
Musique : Gilles Vigneault
et Gaston Rochon

Ton père est parti

Ton père est parti à la pêche
Avec Wilfrid et en partant
Il a dit : « Associé, dépêche !
La mer est encore au montant
Pour manger de la morue fraîche
Il faut la prendre avant le vent »

Je les ai vus monter la voile
Et chercher dans les coins de l'air
De quoi gonfler assez la toile
Et ne pas trop gonfler la mer
Je les ai vus prendre le large
Clairer la caye et le platier
Ils sont dans une grande barge
La pêche c'est un beau métier

Jusqu'en bas du cap chez Polyte
On voit plonger les istorlets
Quand la morue donne, il faut vite
Se préparer pour le Galet

Ils font des journées de vingt heures
Leur sel est jamais gaspillé
Des fois... la saison est meilleure
LA PÊCHE C'EST UN BEAU MÉTIER

Ton père est parti à la chasse
Je ne me fais pas de souci
Il n'a plus rien qui le tracasse
Monsieur Alcide est avec lui
Du feu et du manger en masse
Ils savent se faire un abri

Ils feront le thé au Rapide
Ils ne peuvent pas s'écarter
Ils ont cinq chiens qui sont leurs guides
A la fatigue, ils vont tenter
Ils sont partis à la brunante
La lune a son premier quartier
La neige n'est pas trop collante
La chasse c'est un beau métier

Je prie pour qu'ils aient de la chance
Et du beau temps pour le gibier
Il faut bien plus que la vaillance
Pour attraper le loup-cervier
Si le castor est à la hausse
Ils couvriraient l'hiver dernier
Que l'année... soit petite ou grosse
LA CHASSE C'EST UN BEAU MÉTIER

Ton père est parti à la danse
J'irai le rejoindre tantôt
Il était dans ses élégances
Chemise et cravate et manteau
Si je disais ce que j'en pense
Ça le complimenterait trop

Il avait l'air d'un jeune en fête
Il se préparait sa chanson
Il en a beaucoup dans la tête
Il les arrange à sa façon
Avec le violon... la guitare
« Avec des amis, comme il dit
Un peu de gin... et des cigares...
On se croirait au paradis »

Vieux-Paul et Gassoune et Thophane
P'tit-Jean et ton oncle Ovila
Monsieur Ernest avec sa canne

Tous ses vieux amis seront là
Moïse leur jouera des gigues
Monsieur Jean en a dans les pieds
Le repos... oublie la fatigue
LA VIE ÉTAIT UN BEAU MÉTIER...

1973
Musique : Gilles Vigneault
et Gaston Rochon

Tit-Cul Lachance

Je suis chômeur de mon état
J'm'appelle Tit-Cul Lachance
Pogné, marié, trois filles, deux gars
Merci pour l'assistance
Comme j'habite un pays loin d'l'eau
Ils ont fermé l'chantier d'bateaux
Tu les as laissés faire
Comme j'ai pas posé d'bombes par là
Pis qu'ça faisait p't-êtr' ton affaire
Tu pens's que j'm'en aperçois pas

Tu pens's que j'm'en aperçois pas
Parc'que j'vois pas la caisse
Tu t'penses en haut tu m'penses en bas
Du moment que j'me baisse
J'me baisse pour choisir mon caillou
Avant qu'tu l'vend's avec le trou
D'avant, d'après la guerre
Parc'que tu m'fournis mon tabac
Parc'que tu m'as payé une bière
Tu pens's que j'm'en aperçois pas

Tu pens's que j'm'en aperçois pas
Quand tu mets ta pancarte
A vendre ! A vendre ! avec, en bas
Indiqué sur les cartes
Si vous aimiez mon Labrador
Ajoutez-y donc ma Côte Nord
Le bois y est hors d'âge
Quand tu descends nous voir dans l'bas
On sait qui c'qui paye ton voyage
Tu pens's qu'on s'en aperçoit pas

Tu pens's que j'm'en aperçois pas
Que t'es rien qu'un sous-ministre
Nos vrais ministr's sont aux États
C'est là qu'ils t'administrent
C'est là qu'ils font les gros fusils
Avec du fer de ton pays
Mais toi t'es à la chasse
Comm'tu m'vois pas dans ces clubs-là
Pis qu'on est pas confrères de classe
Tu pens's que j'm'en aperçois pas

Tu pens's que j'm'en aperçois pas
Du moment que j'dépense
C'que tu m'donnes en plus de mes r'pas
Mais rien à faire… on pense
Dans tes ment'ries télévisées
Des fois t'oublies d'te déguiser
Pis on voit tes deux faces
Tu vends mon chemin tu vends mon pas
Tu vends mon Temps pis mon Espace
Tu pens's que j'm'en aperçois pas

Tu pens's que j'm'en aperçois pas
Quand tu m'pouss's vers la grève
Bien qu't'aimes pas nos syndicats
Tu s'rais content qu'ils crèvent
Quand tu mets nos chefs en prison
L'patron te r'çoit dans sa maison
T'es là comme en famille
Parce que ma femm'lav'pas vos draps
Parc'que mon gars viol'pas vos filles
Tu pens's que j'm'en aperçois pas

Tu m'fais voter pour tes pantins
Les deux mains sur ta Bible
Comm'c'est toi qui comptes les bulletins
Y a pas d'erreur possible
Le jour où j'vas voter pour moi

Le recomptage prendra des mois
Des mois pis des années
Pis si j'veux jouer au p'tit soldat
J'sais qu't'as déjà tout'une armée
Pour me faire retrouver ton pas

Des matins je m'lève Esquimau
J'te vois vider l'Arctique
L'eau les humains les animaux
A des prix électriques
J'peux pas croire que tu sois si bas
J'peux pas croire que tu sois si rat
Faudrait qu'tu sois si bête
A s'mer du vent de c'te force-là
Tu t'prépares une joyeuse tempête
....

....
Peut'être ben qu'tu t'en aperçois pas

1973
Musique : Gilles Vigneault
et Gaston Rochon

Quand nous partirons pour la Louisiane

Quand nous partirons pour la Louisiane
Anne ma sœur Anne, quand nous partirons
Nous saurons par cœur toutes nos chansons
Anne ma sœur Anne

Je nous vois venir
Et nous souvenir

Quand nous partirons pour la Louisiane
Anne ma sœur Anne, nous emporterons
Dans un vieux coffret en imitation
Anne ma sœur Anne

Ton vieux dictionnaire
Et quelques dictons

Quand nous marcherons vers la Louisiane
Anne ma sœur Anne, nos enfants sauront
Déjà mieux que nous la langue des gens
De la Louisiane

Ils vont nous l'apprendre
Nous la parlerons

Passant par le pont de la Louisiane
Anne ma sœur Anne, nous leur chanterons
Un cantique ancien en français parlant
Anne ma sœur Anne

Les trois derniers mots
Sont tombés dans l'eau

Puis quand nous vivrons
Dans la Louisiane
Anne ma sœur Anne
Nous nous parlerons

De ces grands pays perdus par ici

Anne ma sœur Anne

Adieu mes amis Adieu mes pays...

1973
Musique : Gilles Vigneault
et Gaston Rochon

Mourir de jeunesse

Nourrir des tendresses
Pour un brin de foin
Mûrir des paresses
Pour le temps qui vient

Et chanter serait-ce
De froid et de faim
Et courir sans cesse
Les quatre chemins

Saisir de justesse
La folle tigresse
L'innombrable ivresse
De vos mille mains

Mûrir de chagrin
Mourir de jeunesse

Vivre sans adresse
Et sans lendemain
Puis trouver maîtresse
Au bout du matin

Tourner sa tristesse
En jeux de gamin
Loger dans ses tresses
Manger dans sa main

Quêter ses caresses
Au bout d'une laisse
Et la mettre en pièces
Au premier quatrain

Mûrir de chagrin
Mourir de jeunesse

Déplacer ses pièces
D'un geste incertain
En pleine liesse
Rêver de plus loin

Tenir des promesses
Faites l'an prochain
Tenir pour richesse
Le moindre refrain

Tenir pour faiblesse
Parole qui blesse
Trouver sa noblesse
A n'en trouver point

Mûrir de chagrin
Mourir de jeunesse

Célébrer des messes
Pour le peu de vin
Que le temps nous presse
D'un pied souverain

Que le bonheur laisse
Au jeu de tes reins
Des soirs de kermesse
Et des jours sereins

Dormir sur tes fesses
Rêvant qu'apparaisse
Le lait d'allégresse
Au bout de tes seins

Mûrir de chagrin
Mourir de jeunesse

Avoir pour l'Espèce
Respect et dédain
Par délicatesse
Être le témoin

Que tout intéresse
Le plus et le moins
Voyages... prouesses
Maisons et jardins

Enfant qui connaisse
Comment les fleurs naissent
Et de sa jeunesse
Garde les instincts

Mûrir de chagrin
Mourir de jeunesse

Refaire la Grèce
De trois mots latins
Passer par Lutèce
Comme baladin

Avoir les adresses
De soleils lointains
A toute vitesse
Aller petit train

Avoir pour déesse
Certaine Princesse
Folle de Sagesse
Dans un monde ancien

1975
Musique : Robert Charlebois

Gens du Pays

Le temps que l'on prend pour dire : Je t'aime
C'est le seul qui reste au bout de nos jours
Les vœux que l'on fait les fleurs que l'on sème
Chacun les récolte en soi-même
Aux beaux jardins du temps qui court

Gens du Pays c'est votre tour
De vous laisser parler d'amour } *(bis)*

Le temps de s'aimer, le jour de le dire
Fond comme la neige aux doigts du printemps
Fêtons de nos joies, fêtons de nos rires
Ces yeux où nos regards se mirent
C'est demain que j'avais vingt ans

Gens du Pays c'est votre tour
De vous laisser parler d'amour } *(bis)*

Le ruisseau des jours aujourd'hui s'arrête
Et forme un étang où chacun peut voir
Comme en un miroir l'amour qu'il reflète
Pour ces cœurs à qui je souhaite
Le temps de vivre leurs espoirs

Gens du Pays c'est votre tour
De vous laisser parler d'amour } *(bis)*

1975
Musique : Gilles Vigneault
et Gaston Rochon

Tit-Nor

Je suis parti j'étais toute jeunesse
Gagner ma vie et me faire un métier
A mes parents j'avais fait la promesse
De revenir aussitôt fortuné
J'ai vu de loin s'effacer mon village
Midi sonnant je ne l'entendis pas
Car je marchais vers des mirages
Qui grandissaient à chacun de mes pas } *(bis)*

Me suis trouvé marchant de ville en ville
Bien peu d'amis beaucoup de compagnons
Le verre plein, l'amitié est facile
On est tout seul quand on en voit le fond.
D'où c'que tu viens p'is comment tu t'appelles ?
Norbert ? Un' bière. Armand. Moi j'prends du fort
Moi j'lav' les vitres ; moi, la vaisselle...
Mes compagnons m'ont appelé Tit-Nor. } *(bis)*

Tous ces métiers qui sont fils de misère
Je les ai faits et je m'en suis défait.
On est chômeur quand on veut pas les faire
Quand on les perd on est comme... on était.
C'est pas au bout des balais p'is des pelles
Que la fortune advient le plus souvent
Les gros qui l'ont couch'nt pas loin d'elle
Les autres sont feuilles d'automne au vent } *(bis)*

Ah ! Si j'avais été d'amour naïve
J'aurais pris femme et j'aurais des enfants
Maison... voiture... comme ceux qui arrivent
Je serais seul... mais seul moins seulement
Mais trop d'argent met l'amour en doutance
Et pas assez l'éloigne à tout jamais

J'ai dépensé mon existence
Avant d'gagner l'cœur de cell' que j'aimais } *(bis)*

Trois jours passés, me suis mis de voyage
Pour retrouver mes parents mes amis
Pour les parents, c'est au bout du village
Au cimetière où la mort les a mis
Mais mon oreille et ma vue sont surprises :
On n'voit personne et tout est désâmé
Un chien perdu sort de l'église
Et j'ai compris... Mon village est fermé } *(bis)*

J'suis donc monté m'informer chez Narcisse
Qu'a refusé d'bouger du cinquième rang :
Fallut fermer par loi de la justice
De la justice et du gouvernement...
A-t-il fallu travailler sur nos terres
Tant essoucher et piler les cailloux
Pour découvrir chez le notaire
Qu'au bout d'nos vies, on était plus chez-nous } *(bis)*

J'ai bien pensé m'installer dans la place
Passer la nuit à brailler su'l'perron
Sauver l'église avant qu'ell' se défasse
Et réparer la meilleure maison
Je deviendrais mon propre locataire
Je deviendrais mon propre médecin
Bedeau curé marchand et maire
Mon propre ami et mon propre voisin } *(bis)*

Comme en prison à la grandeur du monde
Je m'en irai comme j'étais venu
Je n'attends pas que quelqu'un me réponde
Le désespoir n'est jamais bienvenu
Pour mes pareils tourmentés de voyage
Mon triste sort leur serve de leçon
Ne quittez pas votre village
Si ce n'est pas pour un'grande instruction } *(bis)*

Faut donc r'partir, mais plus toute jeunesse…
Gagner ma vie n'importe quel métier
Moi qui faisais, dans le temps, des promesses
De grand retour aussitôt fortuné…
Je vois souvent apparaître un village
J'entends midi quand il ne sonne pas
Marchant toujours vers mes mirages } *(bis)*
Qui se défont à chacun de mes pas… }

1975
Musique : Gilles Vigneault
et Gaston Rochon

J'ai planté un chêne

J'ai planté un chêne
Au bout de mon champ
Ce fut ma semaine Perdrerai-je ma peine
J'ai planté un chêne
Au bout de mon champ
Perdrerai-je ma peine Perdrerai-je mon temps...

L'amour et la haine
Ce sont mes enfants
Et ce sont mes chaînes Perdrerai-je ma peine
L'amour et la haine
Ce sont mes enfants
Perdrerai-je ma peine Perdrerai-je mon temps...

Le roi et la reine
Perdront leur manant
Mais l'amour m'enchaîne Perdrerai-je ma peine
Le roi et la reine
Perdront leur manant
Perdrerai-je ma peine Perdrerai-je mon temps...

Serai capitaine
Sur mon bâtiment
Tout en bois de chêne Perdrerai-je ma peine
Serai capitaine
Sur mon bâtiment
Perdrerai-je ma peine Perdrerai-je mon temps...

1976
Musique : Gilles Vigneault
et Gaston Rochon

Mettez vot' parka

Ce sont les gens de ce pays
Un gros navire ils ont bâti } *(bis)*

Pour aller sur l'eau sur l'onde
Aller voir au bord du monde
Mettez vot' parka j'mets l'mien
Vous verrez d'où c'que l'vent vient

Du blé du sel pis des berris
Ont embarqué des pleins barils } *(bis)*
Pour aller…

Ajouté trois barils d'whisky
Ont salué tous leurs amis } *(bis)*
Pour aller…

Par une grand' brise ils sont partis
Après trois jours la mer a pris } *(bis)*
Pour aller…

Abordé l'île à grand péril
« Ohé y'a-t-il du monde ici ? } *(bis)*
Pour aller…

Ils se sont vus bien accueillis
Le sort ne nous a pas trahis } *(bis)*
Pour aller…

Le capitaine dit : « Mes amis
Faudra passer l'hiver ici » } *(bis)*
Pour aller…

Mais dès qu'on fut au mois d'avril
L'envie d'amour les a repris } *(bis)*
Pour aller...

Qui cueille fleur en perd le fruit
Au mois d'octobre ils ont compris } *(bis)*
Pour aller...

Fallut sortir pièges et fusils
Fallut se bâtir un abri } *(bis)*
Pour aller...

Le bateau dans la glace est pris
Des cométiqu's se sont construits } *(bis)*
Pour aller...

Pour retourner voir leurs amis
Et pour fonder plus d'un pays } *(bis)*
Pour aller...

Chanter danser nous divertit *(bis)*

Mais loin d'la mer marin s'ennuie
Ils repasseront par ici } *(bis)*

Pour aller sur l'eau sur l'onde
Aller voir au bord du monde
Mettez vot' parka j'mets l'mien
Vous verrez d'où c'que l'vent vient

1977
Musique : Gilles Vigneault
et Gaston Rochon

Tante Irène

Connaissez-vous l'histoire
De ce chemin
Qui menait chez Grégoire
Le musicien
Plus personne n'y rôde
Qu'un vent peureux
Et les soirs de maraude
Les amoureux

Qui dira que l'amour s'enfuit
Que la rose passe avec lui

On n'y verrait point seule
Faire son tour
Certaine douce aïeule
Qui vit toujours
Belle Madame Irène
Sourit tout bas
Quand le propos ramène
Ce chemin-là

Qui dira que l'amour s'enfuit
Que la rose passe avec lui

On dit dans le village
Qu'elle a cent ans
Mais toujours à l'ouvrage
Passe son temps
En fait des courtepointes
Et des coussins
Qui portent son empreinte
Dans leurs dessins

Qui dira que l'amour s'enfuit
Que la rose passe avec lui

Dites-moi Tante Irène
Tout autrefois
Étiez-vous musicienne
Racontez-moi
Sur tout ce que vous faites
Est-ce un adon
On voit la silhouette
D'un violon

Qui dira que l'amour s'enfuit
Que la rose passe avec lui

C'était un homme tendre
Qui se taisait
Tu aurais dû l'entendre
Quand il jouait
Mon enfant sois fidèle
A tes amours
Si leur musique est belle
Danse à ton tour

Qui dira que l'amour s'enfuit
Que la rose passe avec lui

1977
Musique : Gilles Vigneault
et Gaston Rochon

Les amours les travaux

Les amours les travaux
Même le chant d'un oiseau
Ton cœur, mes mots
Font tourner le monde

Une saison pour semer
Une saison pour attendre
Les automnes les plus tendres
Ont pris source au mois de mai

Les amours, les travaux
Même le chant d'un oiseau
Ton cœur, mes mots
Font tourner le monde

Je cherchais pour mes enfants
De quoi se faire une ronde
Et faire tourner le monde
Sans contrarier le vent

Les amours, les travaux
Même le chant d'un oiseau
Ton cœur, mes mots
Font tourner le monde

J'ai trouvé dans un berceau
Les seuls propos qui promettent
Et l'espoir de ma planète
Dans les rives d'un ruisseau

Les amours, les travaux
Même le chant d'un oiseau
Ton cœur, mes mots
Font tourner le monde

Nous aurons fait quelques fois
Chanson de nos voix multiples
J'étais donc votre disciple
Ma voix, c'était votre voix

Les amours, les travaux
Même le chant d'un oiseau
Ton cœur, mes mots
Font tourner le monde

1979
Musique : Gilles Vigneault
et Robert Bibeau

La complainte du lendemain

Sur le chemin de la déroute,
La lune ment.
La moindre étoile émet un doute
Au firmament.

Sur le chemin de la retraite,
Est-ce un vieil homme qui s'arrête
Est-ce une enfant ?
Ce n'est plus qu'une silhouette
Le long du vent...

Sur le chemin de ma nuit faite,
Comme il a plu...
Une victoire, une défaite ?
On ne sait plus.

Sur le chemin de vieille école,
L'aube se lève et l'eau rigole
Dans les fossés.
Tout reprend vie,
Un oiseau vole,
L'herbe a poussé.

Sur les chemins de mon histoire,
Qu'ai-je perdu ?
Est-ce un pays de ma mémoire
Qu'on a vendu ?

Sur les chemins de la déroute,
Pourvu qu'une oreille l'écoute,
L'homme se ment...
Et parle d'espoir et de doute
Infiniment...

1981
Musique : Gilles Vigneault
et Robert Bibeau

La vieille école

Hier, j'ai revu ma vieille école
Qu'on a gardée en souvenir
Un œil qui pleure, un qui rigole.
L'enfance ne veut pas finir
Comme la neuve a pris sa place
On l'a traînée au bord du bois.
Seul le mois d'août y fait la classe
A des fantômes d'autrefois.
On pouvait voir rien que par la fenêtre
Mais j'ai poussé la porte et suis entré
J'ai trouvé le fameux livre du maître
Chacun pourrait le consulter.

Dans l'encrier de l'encre sèche
Au mur l'ancien calendrier
Le même vieux pêcheur qui pêche
Poisson d'octobre en février...
Au tableau noir, une sentence
Marquée au coin de l'absolu :
« On apprend mieux dans le silence ! »
Le silence n'existe plus.
Je me suis donc assis à mon pupitre,
Côté du nord entre Paul et Fernand,
« Ouvrez le livre ! Allons, premier chapitre
L'histoire c'est un grand roman. »

« Soyez vêtus comme un dimanche
Car l'inspecteur viendra mardi.
Vous répondrez d'une voix franche.
Il paraît qu'il est très gentil. »
On lui lisait la belle adresse
Et lui pour nous réconforter
Ou pour taquiner la maîtresse

Nous disait : « Je vais vous dicter :
“ Léo a vu le papa de Nadine
Faire dodo dans le lit de Léa
Papa a dit le chat de Léa dîne
Trois petits points. Alinéa... ” »

« “ Tenez-vous droit pour la prière,
C’est le beau mois du Sacré-Cœur. ”
Quand on a de belles manières
On peut venir servir au chœur ! »
« Avancez donc, Fernand et Gilles.
Vous allez me copier cent fois :
Si la couleuvre est un reptile
Elle est moins sournoise que moi. »
Souris, poissons, vers et tout ce qui grouille
Pauvre maîtresse, elle avait peur de tout !
Elle a quitté le jour des trois grenouilles...
Ce fut mon dernier mauvais coup.

L’après-midi avait mon âge,
Le soir tombait, j’étais toujours
Emprisonné au personnage
D’un écolier des anciens jours.
J’ai attendu la nuit bien faite
Pour en sortir sans être vu
Fermer sans bruit porte secrète
Sur mon enfance en retenue.
J’ai mes devoirs pour plus long que la Vie.
J’ai mes leçons pour le siècle à venir.
Et Mademoiselle Mélancolie
N’aurait pas su mieux me punir...

1981
Musique : Gilles Vigneault
et Robert Bibeau

Petite berceuse du début de la colonie

Il a neigé sur le bois
Et sur la rivière.
On ne voit plus les ornières
Au chemin du roi.
Fais ton somme,
Petit homme,
Un Jésus tout comme toi
Est né chez les Iroquois.
C'est un grand mystère !

Depuis trois nuits que le loup
Hurle la nouvelle !
Les renards jouent de la vièle
Tout près de chez nous.
Cloche ! Cloche !
La caboche ! La biche et le caribou
Sont venus voir à genoux
Et sa mère est belle...

Tu seras le grand trappeur
Dont parlait l'ancêtre.
Rien que de te voir paraître
Les loups prendront peur.
Plonge, plonge
Dans ton songe,
Pour être un jour le Sauveur
Il faudra mon doux dormeur
Renaître et renaître...

1981
Musique : Gilles Vigneault
et Robert Bibeau

Les beaux métiers

Le charpentier dit volontiers :
« Rien de niveau sur la planète. »
Mais ça reste un métier honnête.
Tu pourrais faire un charpentier.

Mais ne fais pas un militaire…
Car ce n'est pas un beau métier
D'aller tuer des charpentiers
De l'autre côté de la terre.
Il vaut mieux perdre la guerre
Que d'aller au pas
Du pauvre soldat.

Le jardinier dit volontiers :
« Il a fait beau »… d'un jour de pluie.
Ça c'est un métier pour la vie !
Tu pourrais faire un jardinier.

Mais ne fais pas un militaire…

Le savant dit : « Si vous saviez !…
Si vous saviez mon ignorance
Le métier de la connaissance
Est mal connu et journalier. »

Mais ne fais pas un militaire…

Le prisonnier dit volontiers :
« Faire du temps »… parlant de l'ombre,
Mais en voulant sortir du nombre
Tu pourrais faire un prisonnier.

Mais ne fais pas un militaire...

Le chansonnier dit volontiers :
« J'aurais aimé être poète. »
Or, pour si peu qu'il le souhaite
Chacun peut faire un chansonnier.

Mais ne fais pas un militaire...

Le brigadier dit volontiers :
« Il faut être prêt pour la guerre. »
« Il faut des armes pour la faire »,
Reprend en chœur le financier.

Mais ne fais pas un militaire...

Du dernier robot à deux pieds
Jusqu'aux distinctions les plus hautes,
Du brancardier au cosmonaute,
La mort se prend pour un métier !

Car le destin d'un militaire
C'est de devenir son fusil
De devenir son propre outil.
C'est le plus triste sur la terre
Le destin des militaires...
Qui s'en vont au pas
Tuer des soldats.

1982
Musique : Gilles Vigneault
et Robert Bibeau

Le grand cerf-volant

Un jour je ferai mon grand cerf-volant
Un côté rouge un côté blanc
Un jour je ferai mon grand cerf-volant
Un côté rouge un côté blanc... un côté tendre
Un jour je ferai mon grand cerf-volant
J'y ferai monter vos cent mille enfants... ils vont
[m'entendre
Je les vois venir du soleil levant

Puis j'attellerai les chevaux du vent
Un cheval rouge un cheval blanc
Puis j'attellerai les chevaux du vent
Un cheval rouge un cheval blanc... un cheval pie
Puis j'attellerai les chevaux du vent
Et nous irons voir tous les océans... s'ils sont en vie
Si les océans sont toujours vivants

Par-dessus les bois, par-dessus les champs
Un oiseau rouge un oiseau blanc
Par-dessus les bois, par-dessus les champs
Un oiseau rouge un oiseau blanc... un oiseau-lyre
Par-dessus les bois, par-dessus les champs
Il nous mènera chez le Mal méchant... pour le détruire
Bombe de silence et couteau d'argent

Nous mettrons le Mal à feu et à sang
Un soleil rouge un soleil blanc
Nous mettrons le Mal à feu et à sang
Un soleil rouge un soleil blanc... un soleil sombre
Nous mettrons le Mal à feu et à sang
Un nuage monte, un autre descend... un jour sans ombre
Puis nous raserons la ville en passant

Quand nous reviendrons le cœur triomphant
Un côté rouge un côté blanc
Quand nous reviendrons le cœur triomphant
Un côté rouge un côté blanc... un côté Homme
Quand nous reviendrons le cœur triomphant
Alors vous direz : Ce sont nos enfants... Quel est cet [homme
Qui les a menés loin de leurs parents

Je remonterai sur mon cerf-volant
Un matin rouge un matin blanc
Je remonterai sur mon cerf-volant
Un matin rouge un matin blanc... un matin blême
Je remonterai sur mon cerf-volant
Et vous laisserai vos cent mille enfants... chargés [d'eux-mêmes
Pour jeter les dés dans la main du temps

1982
Musique : Gilles Vigneault
et Robert Bibeau

Mademoiselle Émilie

Fut-il amoureux ?
Fut-elle fidèle ?
On ne sait rien d'elle
On ne sait rien d'eux...

Mademoiselle Émilie
Vivait seule en sa maison
Avait été très jolie
En de lointaines saisons
Les photos qui restent d'elle
Sont passées par les ciseaux
Elle tenait une ombrelle
Et c'était sur un bateau
Elle recevait peut-être
A tous les deux ou trois mois
Un colis ou une lettre
Qui l'étonnait chaque fois

Elle qui n'écrivait jamais...

Fut-il amoureux ?
Fut-elle fidèle ?
On ne sait rien d'elle
On ne sait rien d'eux...

Dure et frêle silhouette
Qui traversait les hivers
En chapeau gris à voilette
Et en manteau de drap vert
Pour parler de politesse
Elle disait : Décorum
Ne manquait jamais la messe
Elle touchait l'harmonium

Mais manquait-elle à l'église
Quelqu'un allait s'informer
A la vieille maison grise
Aux volets toujours fermés

Elle qui ne manquait jamais...

Fut-il amoureux ?
Fut-elle fidèle ?
On ne sait rien d'elle
On ne sait rien d'eux...

Puis un dimanche en automne
L'harmonium reste muet
On se retourne on s'étonne
On chuchote on est distrait
Sitôt la messe finie
On fut devant sa maison
Mademoiselle Émilie
Est assise en son salon
Vêtue comme un jour de fête
Chapeau voilette et renard
Sa valise toute faite
Comme on attend un départ

Elle qui ne sortait jamais...

Fut-il amoureux ?
Fut-elle fidèle ?
On ne sait rien d'elle
On ne sait rien d'eux...

Sa cousine Véronique
Hérita de son piano
Et des cahiers de musique
Avec l'album de photos
A Manon la robe blanche
A Mathilde le trousseau

C'est assez de quatre planches
Pour retrouver le berceau
Et prière de remettre
A sa sœur qui reste loin
Un petit coffret de lettres
Cachetées avec grand soin

Elle qui n'écrivait jamais...

Fut-il amoureux ?
Fut-elle fidèle ?
On ne sait rien d'elle
On ne sait rien d'eux...

Quelque dimanche après Pâques
Avec les premiers bateaux
On le sait d'après Jean-Jacques
Qui sait tout, c'est un bedeau
Est passé au cimetière
Un grand homme assez âgé
« On croyait par ses manières
Que c'était un étranger »
Il a déposé des roses
En silence, comme on prie
Sur la tombe où se repose
Mademoiselle Émilie

Personne ne saura jamais...

Fut-il amoureux ?
Fut-elle fidèle ?
On ne sait rien d'elle
On ne sait rien d'eux...

1983
Musique : Gilles Vigneault
et Robert Bibeau

La Nuit

Comme un trappeur qui retrouve le nord
Comme un pêcheur qui retrouve le port
Ainsi je suis
Lorsque la Nuit
Lève la voile et m'invite à son bord

Ainsi je suis
Lorsque la Nuit
Lève la voile et m'invite à son bord

Comme le chien qui redevient le loup
Comme le roi qui redevient le fou
Ainsi je suis
Lorsque la Nuit
Envoie le vent me donner rendez-vous

Ainsi je suis
Lorsque la Nuit
Envoie le vent me donner rendez-vous

Comme un torrent qui retrouve son cours
Comme un amant qui retrouve l'amour
Ainsi je suis
Lorsque la Nuit
Colle sa joue à l'épaule du jour

Ainsi je suis
Lorsque la Nuit
Colle sa joue à l'épaule du jour

Comme évadé des prisons du pareil
Comme un fuyard des filets du soleil
Ainsi je suis

Lorsque la Nuit
Me fait renaître à l'envers du sommeil

Ainsi je suis
Lorsque la Nuit
M'ouvre ses bras... sans donner de conseils

1983
Musique : Gilles Vigneault
et Robert Bibeau

Inédit

Berceuse pour Julie

Le nuage est au gré du vent
Et la feuille au gré du courant
Ton cœur parle du temps qui fuit
Sur les eaux de la nuit
Comme au gré de l'amour, l'enfant
Le nuage est au gré du vent.

Reste encore un peu dans mes bras
Quelqu'un vient qui t'éveillera
En parlant d'ailleurs et d'amour
Il est tout alentour
Dans ton cœur, c'est son pas qui bat
Reste encor un peu dans mes bras.

Berce-moi dans ton rêve encor
Tes chemins sont tout près, dehors
Tes jouets garderont nos jeux
Je jouerai avec eux
Une étoile s'allume au nord
Berce-moi dans ton rêve encor.

Le nuage est au gré du vent
Et la feuille au gré du courant
Ton cœur parle du temps qui fuit
Sur les eaux de la nuit
Comme au gré de l'amour, l'enfant
Le nuage est au gré du vent.

Musique : Gilles Vigneault
et Robert Bibeau

Table

POÈMES

Silences (1957-1977)

Assonances

Inédits

CONTES

La petite heure

CHANSONS

Tenir paroles (1958-1983)

Inédit

COMPOSITION : HÉRISSEY À ÉVREUX (EURE).
IMPRESSION : BRODARD ET TAUPIN À LA FLÈCHE (SARTHE).
DÉPÔT LÉGAL : NOVEMBRE 1986. N° 9389 (6852-5).

Collection Points

SÉRIE POINT-VIRGULE

V1. Manuel de savoir-vivre à l'usage des rustres et des malpolis
par Pierre Desproges
V2. Petit Fictionnaire illustré
par Alain Finkielkraut
V3. Quand j'avais cinq ans, je m'ai tué
par Howard Buten
V4. Lettres à sa fille (1877-1902)
par Calamity Jane
V5. Café Panique, *par Roland Topor*
V6. Le Jardin de ciment, *par Ian McEwan*
V7. L'Âge-déraison, *par Daniel Rondeau*
V8. Juliette a-t-elle un grand Cui ?
par Hélène Ray
V9. T'es pas mort !, *par Antonio Skarmeta*
V10. Petite Fille rouge avec un couteau
par Myrielle Marc
V11. Manuel à l'usage des enfants qui ont des parents difficiles
par Jeanne Van den Brouck
V12. Le A nouveau est arrivé
par Pierre Ziegelmeyer et Jean-Benoît Thirion
V13. Comment faire l'enfant (17 leçons pour ne pas grandir)
par Delia Ephron
V14. Zig-Zag, *par Alain Cahen*
V15. Plumards, de cheval
par Groucho Marx
V16. Bleu, je veux, *par Gisèle Bienne*
V17. Moi et les Autres, *par Albert Jacquard*
V18. Au vrai chic anatomique, *par Frédéric Pagès*
V19. Le Petit Pater illustré, *par Jacques Pater*
V20. Cherche souris pour garder chat, *par Hélène Ray*
V21. Un enfant dans la guerre, *par Saïd Ferdi*
V22. La Danse du coucou, *par Aidan Chambers*
V23. Mémoires d'un amant lamentable
par Groucho Marx
V24. Le Cœur sous le rouleau compresseur
par Howard Buten
V25. Le Cinéma américain des années cinquante
par Olivier-René Veillon
V26. Voilà un baiser, *par Anne Perry-Bouquet*
V27. Le Cycliste de San Cristobal, *par Antonio Skarmeta*
V28. Tchao l'enfance, craignos l'amour, *par Delia Ephron*
V29. Mémoires capitales, *par Groucho Marx*

V30. Dieu, Shakespeare et Moi, *par Woody Allen*
V31. Dictionnaire superflu à l'usage de l'élite et des bien nantis *par Pierre Desproges*
V32. Je t'aime, je te tue, *par Morgan Sportès*
V33. Rock-Vinyl (Pour une discothèque du rock) *par Jean-Marie Leduc*
V34. Le Manuel du parfait petit masochiste *par Dan Greenburg*
V35. L'Oiseau Canadèche, *par Jim Dodge*
V36. Des sous et des hommes, *par Jean-Marie Albertini*
V37. De l'univers à nous, *par Robert Clarke*
V38. Pour en finir une bonne fois pour toutes avec la culture *par Woody Allen*
V39. Le Gone du Chaâba, *par Azouz Begag*
V40. Le Cinéma américain des années trente *par Olivier-René Veillon*
V41. Mistral gagnant, chansons et dessins, *par Renaud*
V42. Les Aventures d'Adrain Mole, 15 ans, *par Sue Townsend*
V43. Le Palais des claques, *par Pascal Bruckner*
V44. La Cuisine cannibale, *par Roland Topor*
V45. Le Livre d'étoile, *par Gil Ben Aych*
V46. Les Dingues du nonsense, *par Robert Benayoun*
V47. Le Grand Cerf-Volant, *par Gilles Vigneault*

Collection Points

SÉRIE ROMAN

R1. Le Tambour, *par Günter Grass*
R2. Le Dernier des Justes, *par André Schwarz-Bart*
R3. Le Guépard, *par Giuseppe Tomasi di Lampedusa*
R4. La Côte sauvage, *par Jean-René Huguenin*
R5. Acid Test, *par Tom Wolfe*
R6. Je vivrai l'amour des autres, *par Jean Cayrol*
R7. Les Cahiers de Malte Laurids Brigge
par Rainer Maria Rilke
R8. Moha le fou, Moha le sage, *par Tahar Ben Jelloun*
R9. L'Horloger du Cherche-Midi, *par Luc Estang*
R10. Le Baron perché, *par Italo Calvino*
R11. Les Bienheureux de La Désolation, *par Hervé Bazin*
R12. Salut Galarneau !, *par Jacques Godbout*
R13. Cela s'appelle l'aurore, *par Emmanuel Roblès*
R14. Les Désarrois de l'élève Törless, *par Robert Musil*
R15. Pluie et Vent sur Télumée Miracle
par Simone Schwarz-Bart
R16. La Traque, *par Herbert Lieberman*
R17. L'Imprécateur, *par René-Victor Pilhes*
R18. Cent Ans de solitude, *par Gabriel Garcia Marquez*
R19. Moi d'abord, *par Katherine Pancol*
R20. Un jour, *par Maurice Genevoix*
R21. Un pas d'homme, *par Marie Susini*
R22. La Grimace, *par Heinrich Böll*
R23. L'Age du tendre, *par Marie Chaix*
R24. Une tempête, *par Aimé Césaire*
R25. Moustiques, *par William Faulkner*
R26. La Fantaisie du voyageur, *par François-Régis Bastide*
R27. Le Turbot, *par Günter Grass*
R28. Le Parc, *par Philippe Sollers*
R29. Ti Jean L'horizon, *par Simone Schwarz-Bart*
R30. Affaires étrangères, *par Jean-Marc Roberts*
R31. Nedjma, *par Kateb Yacine*
R32. Le Vertige, *par Evguénia Guinzbourg*
R33. La Motte rouge, *par Maurice Genevoix*
R34. Les Buddenbrook, *par Thomas Mann*
R35. Grand Reportage, *par Michèle Manceaux*
R36. Isaac le mystérieux (Le ver et le solitaire)
par Jerome Charyn
R37. Le Passage, *par Jean Reverzy*
R38. Chesapeake, *par James A. Michener*
R39. Le Testament d'un poète juif assassiné, *par Elie Wiesel*

R40. Candido, *par Leonardo Sciascia*
R41. Le Voyage à Paimpol, *par Dorothée Letessier*
R42. L'Honneur perdu de Katharina Blum, *par Heinrich Böll*
R43. Le Pays sous l'écorce, *par Jacques Lacarrière*
R44. Le Monde selon Garp, *par John Irving*
R45. Les Trois Jours du cavalier, *par Nicole Ciravégna*
R46. Nécropolis, *par Herbert Lieberman*
R47. Fort Saganne, *par Louis Gardel*
R48. La Ligne 12, *par Raymond Jean*
R49. Les Années de chien, *par Günter Grass*
R50. La Réclusion solitaire, *par Tahar Ben Jelloun*
R51. Senilità, *par Italo Svevo*
R52. Trente Mille Jours, *par Maurice Genevoix*
R53. Cabinet Portrait, *par Jean-Luc Benoziglio*
R54. Saison violente, *par Emmanuel Roblès*
R55. Une comédie française, *par Erik Orsenna*
R56. Le Pain nu, *par Mohamed Choukri*
R57. Sarah et le Lieutenant français, *par John Fowles*
R58. Le Dernier Viking, *par Patrick Grainville*
R59. La Mort de la phalène, *par Virginia Woolf*
R60. L'Homme sans qualités, tome 1, *par Robert Musil*
R61. L'Homme sans qualités, tome 2, *par Robert Musil*
R62. L'Enfant de la mer de Chine, *par Didier Decoin*
R63. Le Professeur et la Sirène
par Giuseppe Tomasi di Lampedusa
R64. Le Grand Hiver, *par Ismaïl Kadaré*
R65. Le Cœur du voyage, *par Pierre Moustiers*
R66. Le Tunnel, *par Ernesto Sabato*
R67. Kamouraska, *par Anne Hébert*
R68. Machenka, *par Vladimir Nabokov*
R69. Le Fils du pauvre, *par Mouloud Feraoun*
R70. Cités à la dérive, *par Stratis Tsirkas*
R71. Place des Angoisses, *par Jean Reverzy*
R72. Le Dernier Chasseur, *par Charles Fox*
R73. Pourquoi pas Venise, *par Michèle Manceaux*
R74. Portrait de groupe avec dame, *par Heinrich Böll*
R75. Lunes de fiel, *par Pascal Bruckner*
R76. Le Canard de bois (Les Fils de la Liberté, I)
par Louis Caron
R77. Jubilee, *par Margaret Walker*
R78. Le Médecin de Cordoue, *par Herbert Le Porrier*
R79. Givre et Sang, *par John Cowper Powys*
R80. La Barbare, *par Katherine Pancol*
R81. Si par une nuit d'hiver un voyageur, *par Italo Calvino*
R82. Gerardo Laïn, *par Michel del Castillo*
R83. Un amour infini, *par Scott Spencer*
R84. Une enquête au pays, *par Driss Chraïbi*

R85. Le Diable sans porte (*tome 1* : Ah, mes aïeux !) *par Claude Duneton*
R86. La Prière de l'absent, *par Tahar Ben Jelloun*
R87. Venise en hiver, *par Emmanuel Roblès*
R88. La Nuit du Décret, *par Michel del Castillo*
R89. Alejandra, *par Ernesto Sabato*
R90. Plein Soleil, *par Marie Susini*
R91. Les Enfants de fortune, *par Jean-Marc Roberts*
R92. Protection encombrante, *par Heinrich Böll*
R93. Lettre d'excuse, *par Raphaële Billetdoux*
R94. Le Voyage indiscret, *par Katherine Mansfield*
R95. La Noire, *par Jean Cayrol*
R96. L'Obsédé (L'Amateur), *par John Fowles*
R97. Siloé, *par Paul Gadenne*
R98. Portrait de l'artiste en jeune chien, *par Dylan Thomas*
R99. L'Autre, *par Julien Green*
R100. Histoires pragoises, *par Rainer Maria Rilke*
R101. Bélibaste, *par Henri Gougaud*
R102. Le Ciel de la Kolyma (Le Vertige, II) *par Evguénia Guinzbourg*
R103. La Mulâtresse Solitude, *par Simone Schwarz-Bart*
R104. L'Homme du Nil, *par Stratis Tsirkas*
R105. La Rhubarbe, *par René-Victor Pilhes*
R106. Gibier de potence, *par Kurt Vonnegut*
R107. Memory Lane, *par Patrick Modiano* *dessins de Pierre Le Tan*
R108. L'Affreux Pastis de la rue des Merles *par Carlo Emilio Gadda*
R109. La Fontaine obscure, *par Raymond Jean*
R110. L'Hôtel New Hampshire, *par John Irving*
R111. Les Immémoriaux, *par Victor Segalen*
R112. Cœur de lièvre, *par John Updike*
R113. Le Temps d'un royaume, *par Rose Vincent*
R114. Poisson-chat, *par Jerome Charyn*
R115. Abraham de Brooklyn, *par Didier Decoin*
R116. Trois Femmes, *suivi de* Noces, *par Robert Musil*
R117. Les Enfants du sabbat, *par Anne Hébert*
R118. La Palmeraie, *par François-Régis Bastide*
R119. Maria Republica, *par Agustin Gomez-Arcos*
R120. La Joie, *par Georges Bernanos*
R121. Incognito, *par Petru Dumitriu*
R122. Les Forteresses noires, *par Patrick Grainville*
R123. L'Ange des ténèbres, *par Ernesto Sabato*
R124. La Fiera, *par Marie Susini*
R125. La Marche de Radetzky, *par Joseph Roth*
R126. Le vent souffle où il veut, *par Paul-André Lesort*
R127. Si j'étais vous..., *par Julien Green*

R128. Le Mendiant de Jérusalem, *par Elie Wiesel*
R129. Mortelle, *par Christopher Frank*
R130. La France m'épuise, *par Jean-Louis Curtis*
R131. Le Chevalier inexistant, *par Italo Calvino*
R132. Dialogues des Carmélites, *par Georges Bernanos*
R133. L'Étrusque, *par Mika Waltari*
R134. La Rencontre des hommes, *par Benigno Cacérès*
R135. Le Petit Monde de Don Camillo, *par Giovanni Guareschi*
R136. Le Masque de Dimitrios, *par Eric Ambler*
R137. L'Ami de Vincent, *par Jean-Marc Roberts*
R138. Un homme au singulier, *par Christopher Isherwood*
R139. La Maison du désir, *par France Huser*
R140. Moi et ma cheminée, *par Herman Melville*
R141. Les Fous de Bassan, *par Anne Hébert*
R142. Les Stigmates, *par Luc Estang*
R143. Le Chat et la Souris, *par Günter Grass*
R144. Loïca, *par Dorothée Letessier*
R145. Paradiso, *par José Lezama Lima*
R146. Passage de Milan, *par Michel Butor*
R147. Anonymus, *par Michèle Manceaux*
R148. La Femme du dimanche
par Carlo Fruttero et Franco Lucentini
R149. L'Amour monstre, *par Louis Pauwels*
R150. L'Arbre à soleils, *par Henri Gougaud*
R151. Traité du zen et de l'entretien des motocyclettes
par Robert M. Pirsig
R152. L'Enfant du cinquième Nord, *par Pierre Billon*
R153. N'envoyez plus de roses, *par Eric Ambler*
R154. Les Trois Vies de Babe Ozouf, *par Didier Decoin*
R155. Le Vert Paradis, *par André Brincourt*
R156. Varouna, *par Julien Green*
R157. L'Incendie de Los Angeles, *par Nathanaël West*
R158. Les Belles de Tunis, *par Nine Moati*
R159. Vertes Demeures, *par William Henry Hudson*
R160. Les Grandes Vacances, *par Francis Ambrière*
R161. Ceux de 14, *par Maurice Genevoix*
R162. Les Villes invisibles, *par Italo Calvino*
R163. L'Agent secret, *par Graham Greene*
R164. La Lézarde, *par Édouard Glissant*
R165. Le Grand Escroc, *par Herman Melville*
R166. Lettre à un ami perdu, *par Patrick Besson*
R167. Evaristo Carriego, *par Jorge Luis Borges*
R168. La Guitare, *par Michel del Castillo*
R169. Épitaphe pour un espion, *par Eric Ambler*
R170. Fin de saison au Palazzo Pedrotti, *par Frédéric Vitoux*
R171. Jeunes Années. Autobiographie 1, *par Julien Green*
R172. Jeunes Années. Autobiographie 2, *par Julien Green*

R173. Les Égarés, *par Frédérick Tristan*
R174. Une affaire de famille, *par Christian Giudicelli*
R175. Le Testament amoureux, *par Rezvani*
R176. C'était cela notre amour, *par Marie Susini*
R177. Souvenirs du triangle d'or, *par Alain Robbe-Grillet*
R178. Les Lauriers du lac de Constance, *par Marie Chaix*
R179. Plan B, *par Chester Himes*
R180. Le Sommeil agité, *par Jean-Marc Roberts*
R181. Roman Roi, *par Renaud Camus*
R182. Vingt Ans et des poussières
par Didier van Cauwelaert
R183. Le Château des destins croisés, *par Italo Calvino*
R184. Le Vent de la nuit, *par Michel del Castillo*
R185. Une curieuse solitude, *par Philippe Sollers*
R186. Les Trafiquants d'armes, *par Eric Ambler*
R187. Un printemps froid, *par Danièle Sallenave*
R188. Mickey l'Ange, *par Geneviève Dormann*
R189. Histoire de la mer, *par Jean Cayrol*
R190. Senso, *par Camillo Boito*
R191. Sous le soleil de Satan, *par Georges Bernanos*
R192. Niembsch ou l'immobilité, *par Peter Härtling*
R193. Prends garde à la douceur des choses
par Raphaële Billetdoux
R194. L'Agneau carnivore, *par Agustin Gomez-Arcos*
R195. L'Imposture, *par Georges Bernanos*
R196. Ararat, *par D. M. Thomas*
R197. La Croisière de l'angoisse, *par Eric Ambler*
R198. Léviathan, *par Julien Green*
R199. Sarnia, *par Gerald Basil Edwards*
R200. Le Colleur d'affiches, *par Michel del Castillo*
R201. Un mariage poids moyen, *par John Irving*
R202. John l'Enfer, *par Didier Decoin*
R203. Les Chambres de bois, *par Anne Hébert*
R204. Mémoires d'un jeune homme rangé
par Tristan Bernard
R205. Le Sourire du Chat, *par François Maspero*
R206. L'Inquisiteur, *par Henri Gougaud*
R207. La Nuit américaine, *par Christopher Frank*
R208. Jeunesse dans une ville normande
par Jacques-Pierre Amette
R209. Fantôme d'une puce, *par Michel Braudeau*
R210. L'Avenir radieux, *par Alexandre Zinoviev*
R211. Constance D., *par Christian Combaz*
R212. Épaves, *par Julien Green*
R213. La Leçon du maître, *par Henry James*
R214. Récit des temps perdus, *par Aris Fakinos*
R215. La Fosse aux chiens, *par John Cowper Powys*

R216. Les Portes de la forêt, *par Elie Wiesel*
R217. L'Affaire Deltchev, *par Eric Ambler*
R218. Les amandiers sont morts de leurs blessures
par Tahar Ben Jelloun
R219. L'Admiroir, *par Anny Duperey*
R220. Les Grands Cimetières sous la lune, *par Georges Bernanos*
R221. La Créature, *par Étienne Barilier*
R222. Un Anglais sous les tropiques, *par William Boyd*
R223. La Gloire de Dina, *par Michel del Castillo*
R224. Poisson d'amour, *par Didier van Cauwelaert*
R225. Les Yeux fermés, *par Marie Susini*
R226. Cobra, *par Severo Sarduy*
R227. Cavalerie rouge, *par Isaac Babel*
R228. Tous les soleils, *par Bertrand Visage*
R229. Pétersbourg, *par Andréi Biély*
R230. Récits d'un jeune médecin, *par Mikhaïl Boulgakov*
R231. La Maison des prophètes, *par Nicolas Saudray*
R232. Trois Heures du matin à New York, *par Herbert Lieberman*
R233. La Mère du printemps, *par Driss Chraibi*
R234. Adrienne Mesurat, *par Julien Green*
R235. Jusqu'à la mort, *par Amos Oz*
R236. Les Envoûtés, *par Witold Gombrowicz*
R237. Frontière des ténèbres, *par Eric Ambler*
R238. Les Deux Sacrements, *par Heinrich Böll*
R239. Cherchant qui dévorer, *par Luc Estang*
R240. Le Tournant, *par Klaus Mann*
R241. Aurélia, *par France Huser*
R242. Le Sixième Hiver, *par Douglas Orgill et John Gribbin*
R243. Naissance d'un spectre, *par Frédérick Tristan*
R244. Lorelei, *par Maurice Genevoix*
R245. Le Bois de la nuit, *par Djuna Barnes*
R246. La Caverne céleste, *par Patrick Grainville*
R247. L'Alliance, tome 1, *par James A. Michener*
R248. L'Alliance, tome 2, *par James A. Michener*
R249. Juliette, chemin des Cerisiers, *par Marie Chaix*
R250. Le Baiser de la femme-araignée, *par Manuel Puig*
R251. Le Vésuve, *par Emmanuel Roblès*
R252. Comme neige au soleil, *par William Boyd*
R253. Palomar, *par Italo Calvino*
R254. Le Visionnaire, *par Julien Green*
R255. La Revanche, *par Henry James*
R256. Les Années-lumière, *par Rezvani*
R257. La Crypte des capucins, *par Joseph Roth*
R258. La Femme publique, *par Dominique Garnier*
R259. Maggie Cassidy, *par Jack Kerouac*
R260. Mélancolie Nord, *par Michel Rio*
R261. Énergie du désespoir, *par Eric Ambler*

Collection Points

1. Histoire du surréalisme, *par Maurice Nadeau*
2. Une théorie scientifique de la culture *par Bronislaw Malinowski*
3. Malraux, Camus, Sartre, Bernanos, *par Emmanuel Mounier*
4. L'Homme unidimensionnel, *par Herbert Marcuse* (épuisé)
5. Écrits I, *par Jacques Lacan*
6. Le Phénomène humain, *par Pierre Teilhard de Chardin*
7. Les Cols blancs, *par C. Wright Mills*
8. Stendhal, Flaubert, *par Jean-Pierre Richard*
9. La Nature dé-naturée, *par Jean Dorst*
10. Mythologies, *par Roland Barthes*
11. Le Nouveau Théâtre américain, *par Franck Jotterand* (épuisé)
12. Morphologie du conte, *par Vladimir Propp*
13. L'Action sociale, *par Guy Rocher*
14. L'Organisation sociale, *par Guy Rocher*
15. Le Changement social, *par Guy Rocher*
16. Les Étapes de la croissance économique, *par W. W. Rostow*
17. Essais de linguistique générale *par Roman Jakobson* (épuisé)
18. La Philosophie critique de l'histoire, *par Raymond Aron*
19. Essais de sociologie, *par Marcel Mauss*
20. La Part maudite, *par Georges Bataille* (épuisé)
21. Écrits II, *par Jacques Lacan*
22. Éros et Civilisation, *par Herbert Marcuse* (épuisé)
23. Histoire du roman français depuis 1918 *par Claude-Edmonde Magny*
24. L'Écriture et l'Expérience des limites, *par Philippe Sollers*
25. La Charte d'Athènes, *par Le Corbusier*
26. Peau noire, Masques blancs, *par Frantz Fanon*
27. Anthropologie, *par Edward Sapir*
28. Le Phénomène bureaucratique, *par Michel Crozier*
29. Vers une civilisation du loisir ?, *par Joffre Dumazedier*
30. Pour une bibliothèque scientifique, *par François Russo* (épuisé)
31. Lecture de Brecht, *par Bernard Dort*
32. Ville et Révolution, *par Anatole Kopp*
33. Mise en scène de Phèdre, *par Jean-Louis Barrault*
34. Les Stars, *par Edgar Morin*
35. Le Degré zéro de l'écriture, *suivi de* Nouveaux Essais critiques *par Roland Barthes*
36. Libérer l'avenir, *par Ivan Illich*
37. Structure et Fonction dans la société primitive *par A. R. Radcliffe-Brown*
38. Les Droits de l'écrivain, *par Alexandre Soljénitsyne*
39. Le Retour du tragique, *par Jean-Marie Domenach*

41. La Concurrence capitaliste
par Jean Cartell et Pierre-Yves Cossé (épuisé)
42. Mise en scène d'Othello, *par Constantin Stanislavski*
43. Le Hasard et la Nécessité, *par Jacques Monod*
44. Le Structuralisme en linguistique, *par Oswald Ducrot*
45. Le Structuralisme : Poétique, *par Tzvetan Todorov*
46. Le Structuralisme en anthropologie, *par Dan Sperber*
47. Le Structuralisme en psychanalyse, *par Moustafa Safouan*
48. Le Structuralisme : Philosophie, *par François Wahl*
49. Le Cas Dominique, *par Françoise Dolto*
51. Trois Essais sur le comportement animal et humain
par Konrad Lorenz
52. Le Droit à la ville, *suivi de* Espace et Politique
par Henri Lefebvre
53. Poèmes, *par Léopold Sédar Senghor*
54. Les Élégies de Duino, *suivi de* les Sonnets à Orphée
par Rainer Maria Rilke (édition bilingue)
55. Pour la sociologie, *par Alain Touraine*
56. Traité du caractère, *par Emmanuel Mounier*
57. L'Enfant, sa « maladie » et les autres, *par Maud Mannoni*
58. Langage et Connaissance, *par Adam Schaff*
59. Une saison au Congo, *par Aimé Césaire*
61. Psychanalyser, *par Serge Leclaire*
63. Mort de la famille, *par David Cooper*
64. A quoi sert la Bourse ?, *par Jean-Claude Leconte* (épuisé)
65. La Convivialité, *par Ivan Illich*
66. L'Idéologie structuraliste, *par Henri Lefebvre*
67. La Vérité des prix, *par Hubert Lévy-Lambert* (épuisé)
68. Pour Gramsci, *par Maria-Antonietta Macciocchi*
69. Psychanalyse et Pédiatrie, *par Françoise Dolto*
70. S/Z, *par Roland Barthes*
71. Poésie et Profondeur, *par Jean-Pierre Richard*
72. Le Sauvage et l'Ordinateur, *par Jean-Marie Domenach*
73. Introduction à la littérature fantastique
par Tzvetan Todorov
74. Figures I, *par Gérard Genette*
75. Dix Grandes Notions de la sociologie, *par Jean Cazeneuve*
76. Mary Barnes, un voyage à travers la folie
par Mary Barnes et Joseph Berke
77. L'Homme et la Mort, *par Edgar Morin*
78. Poétique du récit, *par Roland Barthes, Wayne Booth*
Wolfgang Kayser et Philippe Hamon
79. Les Libérateurs de l'amour, *par Alexandrian*
80. Le Macroscope, *par Joël de Rosnay*
81. Délivrance, *par Maurice Clavel et Philippe Sollers*
82. Système de la peinture, *par Marcelin Pleynet*
83. Pour comprendre les média, *par M. McLuhan*

84. L'Invasion pharmaceutique
par Jean-Pierre Dupuy et Serge Karsenty
85. Huit Questions de poétique, *par Roman Jakobson*
86. Lectures du désir, *par Raymond Jean*
87. Le Traître, *par André Gorz*
88. Psychiatrie et Anti-Psychiatrie, *par David Cooper*
89. La Dimension cachée, *par Edward T. Hall*
90. Les Vivants et la Mort, *par Jean Ziegler*
91. L'Unité de l'homme, *par le Centre Royaumont*
1. Le primate et l'homme,
par E. Morin et M. Piattelli-Palmarini
92. L'Unité de l'homme, *par le Centre Royaumont*
2. Le cerveau humain, *par E. Morin et M. Piattelli-Palmarini*
93. L'Unité de l'homme, *par le Centre Royaumont*
3. Pour une anthropologie fondamentale
par E. Morin et M. Piattelli-Palmarini
94. Pensées, *par Blaise Pascal*
95. L'Exil intérieur, *par Roland Jaccard*
96. Semeiotiké, recherches pour une sémanalyse
par Julia Kristeva
97. Sur Racine, *par Roland Barthes*
98. Structures syntaxiques, *par Noam Chomsky*
99. Le Psychiatre, son « fou » et la psychanalyse
par Maud Mannoni
100. L'Écriture et la Différence, *par Jacques Derrida*
101. Le Pouvoir africain, *par Jean Ziegler*
102. Une logique de la communication
par P. Watzlawick, J. Helmick Beavin, Don D. Jackson
103. Sémantique de la poésie, *par T. Todorov, W. Empson*
J. Cohen, G. Hartman et F. Rigolot
104. De la France, *par Maria-Antonietta Macciocchi*
105. Small is beautiful, *par E. F. Schumacher*
106. Figures II, *par Gérard Genette*
107. L'Œuvre ouverte, *par Umberto Eco*
108. L'Urbanisme, *par Françoise Choay*
109. Le Paradigme perdu, *par Edgar Morin*
110. Dictionnaire encyclopédique des sciences du langage
par Oswald Ducrot et Tzvetan Todorov
111. L'Évangile au risque de la psychanalyse (tome 1)
par Françoise Dolto
112. Un enfant dans l'asile, *par Jean Sandretto*
113. Recherche de Proust, *ouvrage collectif*
114. La Question homosexuelle, *par Marc Oraison*
115. De la psychose paranoïaque dans ses rapports
avec la personnalité, *par Jacques Lacan*
116. Sade, Fourier, Loyola, *par Roland Barthes*
117. Une société sans école, *par Ivan Illich*

118. Mauvaises Pensées d'un travailleur social
par Jean Marie Geng
120. Poétique de la prose, *par Tzvetan Todorov*
121. Théorie d'ensemble, *par Tel Quel*
122. Némésis médicale, *par Ivan Illich*
123. La Méthode 1. La Nature de la Nature, *par Edgar Morin*
124. Le Désir et la Perversion, *ouvrage collectif*
125. Le langage, cet inconnu, *par Julia Kristeva*
126. On tue un enfant, *par Serge Leclaire*
127. Essais critiques, *par Roland Barthes*
128. Le Je-ne-sais-quoi et le Presque-rien
1. La Manière et l'Occasion, *par Vladimir Jankélévitch*
129. L'Analyse structurale du récit, Communications 8
ouvrage collectif
130. Changements, Paradoxes et Psychothérapie
par P. Watzlawick, J. Weakland et R. Fisch
131. Onze Études sur la poésie moderne
par Jean-Pierre Richard
132. L'Enfant arriéré et sa mère, *par Maud Mannoni*
133. La Prairie perdue (Le Roman américain)
par Jacques Cabau
134. Le Je-ne-sais-quoi et le Presque-rien
2. La Méconnaissance, *par Vladimir Jankélévitch*
135. Le Plaisir du texte, *par Roland Barthes*
136. La Nouvelle Communication, *ouvrage collectif*
137. Le Vif du sujet, *par Edgar Morin*
138. Théories du langage, Théories de l'apprentissage
par le Centre Royaumont
139. Baudelaire, la Femme et Dieu, *par Pierre Emmanuel*
140. Autisme et Psychose de l'enfant, *par Frances Tustin*
141. Le Harem et les Cousins, *par Germaine Tillion*
142. Littérature et Réalité, *ouvrage collectif*
143. La Rumeur d'Orléans, *par Edgar Morin*
144. Partage des femmes, *par Eugénie Lemoine-Luccioni*
145. L'Évangile au risque de la psychanalyse (tome 2)
par Françoise Dolto
146. Rhétorique générale, *par le Groupe* μ
147. Système de la mode, *par Roland Barthes*
148. Démasquer le réel, *par Serge Leclaire*
149. Le Juif imaginaire, *par Alain Finkielkraut*
150. Travail de Flaubert, *ouvrage collectif*
151. Journal de Californie, *par Edgar Morin*
152. Pouvoirs de l'horreur, *par Julia Kristeva*
153. Introduction à la philosophie de l'histoire de Hegel
par Jean Hyppolite
154. La Foi au risque de la psychanalyse
par Françoise Dolto et Gérard Sévérin

155. Un lieu pour vivre, *par Maud Mannoni*
156. Scandale de la vérité, *suivi de*
Nous autres Français, *par Georges Bernanos*
157. Enquête sur les idées contemporaines
par Jean-Marie Domenach
158. L'Affaire Jésus, *par Henri Guillemin*
159. Paroles d'étranger, *par Elie Wiesel*
160. Le Langage silencieux, *par Edward T. Hall*
161. La Rive gauche, *par Herbert R. Lottman*
162. La Réalité de la réalité, *par Paul Watzlawick*
163. Les Chemins de la vie, *par Joël de Rosnay*
164. Dandies, *par Roger Kempf*
165. Histoire personnelle de la France, *par François George*
166. La Puissance et la Fragilité, *par Jean Hamburger*
167. Le Traité du sablier, *par Ernst Jünger*
168. Pensée de Rousseau, *ouvrage collectif*
169. La Violence du calme, *par Viviane Forrester*
170. Pour sortir du XXe siècle, *par Edgar Morin*
171. La Communication, Hermès I
par Michel Serres
172. Sexualités occidentales, Communications 35
ouvrage collectif
173. Lettre aux Anglais, *par Georges Bernanos*
174. La Révolution du langage poétique
par Julia Kristeva
175. La Méthode
2. La Vie de la Vie, *par Edgar Morin*
176. Théories du symbole, *par Tzvetan Todorov*
177. Mémoires d'un névropathe
par Daniel Paul Schreber
178. Les Indes, *par Édouard Glissant*
179. Clefs pour l'Imaginaire ou l'Autre Scène
par Octave Mannoni
180. La Sociologie des organisations, *par Philippe Bernoux*
181. Théorie des genres, *ouvrage collectif*
182. Le Je-ne-sais-quoi et le Presque-rien
3. La volonté de vouloir, *par Vladimir Jankélévitch*
183. Le Traité du rebelle, *par Ernst Jünger*
184. Un homme en trop, *par Claude Lefort*
185. Théâtres, *par Bernard Dort*
186. Le Langage du changement, *par Paul Watzlawick*